Cosas y casos
del pueblo de
ADOBES

TOMO III

Lorenzo Hernández Hernández

Cosas y Casos

del pueblo de

ADOBES

TOMO III

AACHE Ediciones
Guadalajara 2026

82

colección LETRAS MAYÚSCULAS

Producción, maquetación y edición electrónica:
AACHE Ediciones
C/ Malvarrosa, 2 (Las Lomas) – Telef. 949 220 438
19005 – Guadalajara
E–Mail: editorial@aache.com
Internet: www.aache.com

Impresión:
PodiPrint
C/ Cueva de Viera, 2
29200 – Antequera (Málaga)

Impreso en España – Printed in Spain.

ISBN 979-13-88166-17-4
Depósito Legal: GU–54/2026

Si este libro cayera
En ojos de mal ver
Puede que los ojos le abriera
Y le diera vista a la vez.

Los caminos son las vías de comunicación por donde trasiega la cultura y se difunde con sus distintas formas de expresión.

Dedicado y en memoria de mi gran amigo Roberto González que se fue al cielo cuando le quedaba media vida por disfrutar en su pueblo querido. Para siempre y por su inmensa generosidad.

La nieve es la masa que fermenta en primavera y se convierte en harina cuando llega el verano para convertirse en pan.

En mis tiempos de chaval, un corrusco de pan era suficiente para poder acompañarlo con una onza de chocolate o un casco de cebolla. Eso sí, ya dependía de cada cual y del poder adquisitivo que tuviera la familia.

—¿Que si quieres unas patatas asadas?

—Que están a punto.

—Ahhhh, chisttt… ¡Seguro que me he vuelto a quedar dormido encima de la cama sin tapar! Seguía con los estornudos del día anterior.

Me desperté de la siesta cuando el día andaba entre dos luces y yo más ciego que un tuerto de los dos ojos. El profundo sueño que me había invadido me obligaba a dudar si realmente lo soñada era verídico o no. Si había estado escribiendo sobre mi pueblo, lo dudaba, y más durmiendo, pero si hubiera andado de verdad entre el tasco de nieve, el constipado no se debería a las sábanas de la cama sino a la calazón y al enfriamiento de mis huesos.

(Según me han confirmado, parece ser que es verdad que estuve escribiendo algunas hojas y que las había dado por concluidas al salir más que mal parado de un ventisquero no lejos de las Rebollas)

Parece ser que hay testigos de que así había sido.

—¡Ahhh… chisttt….!

Las manillas fluorescentes del despertador martilleaban sin parar desde lo oscuro del salón, advirtiéndome que las patatas asadas se iban a pasar a poco que yo me deshiciera de mi holgazanería.

—¡Ahhh… chisttt….!

Unos manotazos de agua al vuelo sobre mí cara no fueron capaces de disimular las secuelas en forma de ojeras que reflejaba mi rostro en tan azarosa y desgraciada aventura, pero al menos consiguieron que reviviera y me deshiciera de la holgazanería que llevaba encima.

No lo tenía yo tan claro porque la moquilla seguía insistiendo en gotear por la napia y el moquero ya no sabía porque lado estaba menos empapado con el consiguiente peligro de al restregar poner el hocico como un tomate...

Menos mal que el calendario del salón seguía en su sitio y en el mes que le correspondía, así que di por hecho el que se había dormido con las posaderas al aire. Y lo mejor de todo, que si era así, el almanaque no me había robado ningún día de vacaciones, a pesar de haber hecho tres en uno con tanta historieta.

No sabes lo tranquilo que me quedé, porque cuando llegan los días de vacaciones pasan a toda **ciberina**.

¿Estaba pensando en donde puñetas estarán las patatas…?

Me pareció haber oído las campanas. El cura, pensé yo. Siendo sábado y a la postura del sol era más que posible que así fuera, siempre lo dejaba para última hora por aquello de que los feligreses brillan por su ausencia. Por conformarse, se conforma con que asistan a misa las cuatro viejas de oscuro luto y de pelo cenizoso y algún esbarriado que sigue la fiel costumbre de no romper con sus antiguas creencias.

Y como si de un toque de campana se tratase, y como si fueran vísperas de las que antaño se veía uno obligado a respetar, me dirigí hacía la iglesia para cumplir con la devoción de cada día.

Por estas fechas las obligaciones se componen de esporádicos compromisos sin más, y es más de una ocasión son excusas para juntarse y pasar o matar un rato el tiempo.

Me había parecido haber oído un segundo toque tan corto que casi parecía la última señal.

Me apresuré a salir por aquello de que los dos toques de aviso de campana y la señal de entrada los hacen tan rápidos que dan tiempo ni para pasarse el peine. Las obligaciones son las obligaciones y a poco que te descuides te quedas sin misa y sin confesar.

Y tampoco era cuestión de quedarse sin misa y sin patatas, que de bancos en la iglesia están más que de sobras.

Como todo hijo de vecino, mejor como vecino que le gusta respetar la tradición, aunque no comulgue, al llegar a la puerta de la iglesia me persigno en la señal de la cruz y con una ligera reverencia y haciendo caso omiso al murmullo que se mascaba dentro sigo mi procesión hasta la puerta del ayuntamiento.

El murmullo que había en el bar era tan grande o más que el de la iglesia, aunque aquí cada uno rezaba sus oraciones al tono que le daba la gana y cuando quería, y no será porque el cura no había intentado llevárselo a la iglesia con la excusa de ir a buscar la llave.

Sin mala fe le habían dado plantón y patatas.

Había una cuadrilla de feligreses alrededor de la mesa soplando el humo que desprendía el calor de las patatas. Si me descuido un instante me quedo sin misa y sin comunión, hasta tuve suerte, pues quedaban unas cuantas patatas medio quemadas de las que a mí me gustan.

—A ver… (casi se quema la boca con la patata por hablar en misa)

—Hostias ¿Qué vas a tomar?

—Pues estando en misa, no habrá más remedio que sea vino.

—Pues marchando una vinajera.

La misa (mesa) estaba tan concelebrada que hasta feligreses del otro bando se habían cambiado de devoción y las vinajeras hubo que cambiarlas por botellas de vino de a litro.

Como la ceremonia del bar se alargaba más de lo establecido se dio lugar a que los pocos que andaban por la iglesia aprovecharan para devolver la llave y con ello incorporasen a la finalización de la ceremonia como devotos.

No sé de quien había sido la idea de las patatas, ni si hubiera propiedad alguna, porque el hecho es que cada cual se apropió de su correspondiente sin temer ninguna duda de si hubiera autorización o no. Hasta unas mujeres que andaban en la mesa que toca a la puerta de la carnicería se acercaron con la excusa de que estábamos en la antigua escuela de las muchachas y por revindicar lo hacían hasta con las patatas.

—Eh, vosotras ¡Si queréis os las asáis, que en la carnicería hay leña!

—Esa es para calentar el ambiente en invierno.

—Y pal verano, ¿qué?

—Por el día el sol y por la noche el alcohol, que por el bar hay mucho dentro.

—Pues entonces luego sacamos lo uno y lo otro y lo celebramos a lo grande, así después todos bien calenticos a la casa a dormir o que sea lo que dios quiera.

Por no discutir más, o porque ya no quedaban patatas asadas, el caso es que se volvieron a su mesa a terminar de chupar unas naranjadas que llevaban entre manos como premio a unos cientos de metros de más que habían hecho en su rutinario paseo vespertino.

Algo de cuchicheo debían llevar entre labios, porque de vez en cuando se les escapaban alguna que otra mofa y carcajada y sin otra dirección que no fuera la nuestra.

Intervenimos…

—¿Pasa algo?

—Pasar, nada.

—Como no paráis de mirar...

—Son cosas nuestras.

—Ni que os hubiéramos quitado el sitio.

—Pues exactamente, porque allí era donde me sentaba yo de párvula.

—Ahora me explico porque tiene tantos borrones de tinta la mesa.

—¿Borrones…?, ni uno.

—Pero mujer, que un borrón lo hecha cualquiera.

—Yo usaba bolígrafo.

(Seguramente no pensó lo que dijo)

La que se armó…

El resto que estaban al acecho o que lo cazaron a las primeras de cambio, saltaron como gacelas.

—Tú usabas plumín como todas.

—¡Anda la lista!

—Tintero y pluma como las demás.

Por unanimidad se acabó la discusión y la reunión.

En aquello que interviene uno que aún llevaba media patata en la boca revuelta en vino.

—Que llevas razón. Te lo digo yo que soy quinto de ti.

El interviniente que andaba más colorado que un tomate, al espetar las parcas palabras hizo que la patata que llevaba dentro saliera volando por los aires, dejando medio salón vacío de golpe. No debía ser ni el momento ni el lugar más oportuno para su intervención.

Visto lo visto, me escabullí por la puerta con parte del puré de la patata entre la pechera de la camisa hacia el Portalillo. El que más o el que menos se sacudió a la luz de la farola mientras el agresor se mondaba de risa a través de los cristales del local.

Por momentos, el Portalillo se volvía a convertir en hora de recreo y con las auténticas protagonistas de antaño en aquellos años de escuela.

Yo me hice hacia la pared que bordea el "cementerio" junto con unos cuantos para no romper la discusión que seguían razonando. Allí se quedaron dirimiendo el año en que se inventó el bolígrafo, la pluma estilográfica, el plumín, la goma de borrar, el carboncillo, el papel de calco y los lápices de colores "Alpine".

Yo te aclararía porque parte de la plaza del Ayuntamiento se llamaba en tiempos de chaval el "Cementerio", pero como ya está más que recontado en otras partes de mis relatos tontos, pues tendrás que espabilarte y preguntar o seguir leyendo mis aventuras.

Y yo te contaría la historia de los colores Alpine, pero como también está ya contado, pues… lo dicho.

Te doy una idea…

—Que te digo que mi caja llevaba doce colores, con el blanco y el negro.

—Que no, solo el negro.

—El mío el blanco.

—Y el blanco, ¿paqué?

Pues eso, si te contara la historia entera te ibas a partir de risa, más que nada por la forma en que acabó la historia.

—Buafff, me mondo.

Tuvieron que asomar un par de maridos reclamando la cena para que se tuviera que romper tan agradable conversación. Tras las quejas y razones de unos y otras, no quedaba más remedio que llegar a un acuerdo. El que más enredaba el asunto, agachó las orejas y se marchó hacia el bar para dejar pasar el rato y con ello que llegara la razón a quien debiera.

Los que estábamos allí nos alegramos de que por unos momentos el bar se hubiera convertido en la antigua escuela de las muchachas y que el Portalillo volviera a respirar el ambiente perdido hacía tantos años.

En aquello que sale uno a la palestra y…

—¿Que si habéis descubierto ya el bolígrafo?

Una que andaba mosqueada…

—¡Vete a la mierda!

—Sí, y el lápiz tinta. No te jode.

Y la otra que interviene…

—Y la goma de borrar no hace falta, tengo suela en la alpargata para sacar por lo menos una docena de gomas.

—¿Y qué más?

—¿Que si queréis tomar un vermut?

Estaban por decir que sí, pero con tal de fastidiar la situación recurrieron a jugarlo al pañuelo como en los viejos tiempos.

—Por nosotras no va a quedar.

—Pues que vayan preparando el pañuelo y las parejas a participar.

—Y también el vermut y los aperitivos.

Las mujeres estaban más que seguras que ellas no iban a pagar.

El caso es que el vermut se preparó antes que el pañuelo y las parejas se hicieron alrededor del mostrador del bar. Dicho lo hecho, no hubo más remedio que suspender el acontecimiento y aplazarlo para una nueva ocasión.

—¡Rediós!, así me gusta.

—A ver, qué te debo.

Como resulta que el pardillo de turno se adelantó a abrir la boca antes de tiempo y antes de terminar de comer la tapa, se le ocurre pedir de nuevo la cuenta, a lo que el resto ante lo dicho decidimos salir a todo trote del local por si sucediese que se volviera a desdecir de lo antes dicho.

Así que… ¡adiós muy buenas!

Lo que hace el tiempo y lo que pudo haber hecho. Esa escuela de niñas en la que andaban medio de recreo las alumnas, pasó por denominarse en un principio tele—club, poco después local—social y en la actualidad le llamamos coloquialmente bar. Y gracias que lo podemos contar tan brevemente porque avatares han tenido que pasar en todos estos años para que parezca tan sencillo y tan rápido de resumir.

Aquellas familias anacoretas apegadas a su tierra ya por el corazón, ya por la cabeza, hicieron mantener vivos los rescoldos de la esperanza, sabiendo aguantar diez meses al año la soledad de gentes con las que pasar un rato de conversación.

Aquellos que por supervivencia o por egoísmo personal se quedaron en el pueblo para sacar provecho en muchos casos de la apropiación indebida, son los responsables en cierta medida de que este pueblo en perpetua agonía, fueron los que hicieron que los rescoldos de esas ascuas llegaron a producir una llama de esperanza.

No cabe duda de que si esas familias hubieran emigrado hoy nuestro pueblo sería uno más de la lista de desaparecidos.

Seguro es, y a la vista está, que a pesar de la incompatibilidad de los vecinos y de los veraneantes e hijos del pueblo en muchos de los casos, por diferencias culturales, sociales y de intereses personales.

Este pueblo se ha sacado adelante, y no por ello se debe renunciar a seguir luchando. Muy al contrario, debe servir de estímulo para fortalecer la unión mayoritaria entre sus gentes.

El egoísmo en sí es propio de las personas y como consecuencia una tendencia al interés de apropiación personal. Y si nos situamos en aquellos años de abandono casi total de tierras, pertenencias y recuerdos familiares, no es nada descabellado y hasta comprensible que así se pensara por parte de los que se quedaron en el pueblo.

Considerar como intrusismo las actitudes de personas en un entorno reducido como era el pueblo de Adobes, no es bueno para nadie y en todo momento perjudicial para todos. La tolerancia y el respeto mutuo es el único camino viable para el entendimiento y el consenso.

Si bien es cierto que la libertad es la máxima a conseguir por la persona, no es menos cierto que sobrepasar las normas que delimitan esa libertad priva al vecino de la suya.

Decir que en este pueblo se ha producido libertinaje es posiblemente la palabra más despreciable que podría aplicarse, pero en cierta manera se ha producido y por parte de todos, unos más que otros, unas veces intencionadamente, otras de forma casual o motivada por las circunstancias del entorno y del paso del tiempo.

Cada cual debe tener la capacidad y la personalidad de analizar los errores cometidos, y en su medida colaborar al buen entendimiento cívico entre las personas y con ello a la prosperidad de este pueblo. Nadie puede saber de su futuro, pero de nosotros depende su futuro inmediato.

No viene ahora a cuento el nombrar a personas que por sus actuaciones en pro o en contra hayan sido decisivas en el pasado presente. Haberlos hay y muchos, sobre todo en la parte positiva que a fin de cuentas es la que más nos interesa a todos. Que, si al amparo de la mayoría ha sido, orgulloso se debe de sentir el pueblo en general.

Y verdad es que en más de una ocasión la lengua intenta soltárseme en cuestiones referidas al tema del Ayuntamiento, y más si hay personas que critican todo lo que no han sido capaces de hacer en años anteriores.

Mi intención, salvo raras ocasiones en las que la lengua es incontrolable, no es crítica de las gentes de este lugar sino más bien pasar un rato entretenido reviviendo andanzas e historias pasadas. —Porque mala leche la tengo como cada cual y si no te remito a algunas páginas atrás donde me fue imposible contenerme.

Si alguna vez llegara a personalizar, o es porque el caso lo requiere como repunte de lo antes citado o porque considero tener la plena confianza del referido, nunca con mala intención y si como muestra de simpatía a la citada persona.

Si yo a fulanito nombrase
Por mote o por parecer
Sepa fulano de tal
Que no es lo que parece
Sino lo que deba ser.

Y que si a un tal
Se le llamara cual
Que es un dicho popular
Sabido sea de todos
Que yo soy uno más.

Que el mote o apelativo
De serlo o de poder ser
Puede ser aumentativo
O diminutivo a la vez.

Y si "ito" "azo" o "illo"
Si "ete" y hasta "on"
Que por ser sea completo
Y a poder ser, no ser.

De regreso a casa me propuse ir sacando a la memoria todas aquellas notas que en mis años de chaval y de zagalindrón había ido escuchando en boca de los vecinos del pueblo. Apenas me pude hacer con cuatro "azos", dos "etes" y no más de seis motes, así que decidí aparcarlo en una hoja de mi libretilla y dejarlo para mejor ocasión.

Entre mote y mote me preparé un bocadillo de rodajas de mortadela para engañar el rato y el hambre. Y todo porque a la vuelta a casa había visto a un chaval con media barra de pan a mordisco limpio con uno de esos bocadillos repletos de cualquier cosa que no sea comida decente. Y es que uno a veces siente envidia de tiempos pasados y más si la tinajilla de los chorizos se te pone por delante y se te reviene en el momento más inesperado.

Entre raja y raja de mortadela iba recordando algunas de aquellas personas que especialmente se habían comprometido en la salvación de este pequeño pueblo. Pensaba si hubiera sido en un momento de arrebato e incluso de desesperación, pero lo que sin duda no les faltó fueron un par de narices en vista de lo acontecido y de lo realizado.

Y digo narices, cojones para ser más exactos, porque atreverse a restituir la normalidad de las instituciones en el Ayuntamiento no era tarea fácil, teniendo en cuenta que estas se encontraban deliberadamente adulteradas y viciadas, y más si a esa tarea se le añade una declaración de ruina en toda su regla de todos los edificios en peligro de derrumbe, con la consabida oposición de sus propietarios, pensando que iban a perderlos para siempre.

Y aún más, y como colofón a muchas otras actuaciones, el lograr hacer la controvertida y temida concentración parcelaria en contra de la voluntad de los más afectados, que eran los renteros que por esas fechas no se acordaban ni de pagar.

Y es que, a pesar de lo que se diga, para hacer todo esto y mil cosas más, se tiene que tener genio, figura y sabiduría, cuando la valentía se tiñe de carisma y a esta le añadimos una pizca de sabiduría, es lógico que se logre el consenso y con ello el apoyo popular.

A partir de aquí la gente se responsabiliza y si hace falta se involucra en zofras de carácter comunitario como la limpieza y la conservación del entorno del pueblo y en momentos puntuales llevar a cabo obras de urgencia como la fachada del edificio del propio Ayuntamiento o la rehabilitación de la Ermita de la Soledad.

Sería interminable la lista de obras y de actuaciones que se han realizado tanto en el casco urbano como en sus aledaños en este periodo de tiempo referido. De forma especial es de destacar la labor de dos alcaldes de los noventa, (omito sus nombres para que todos emitan los que tienen en mente y que de todos es sabido), y de la Asociación Socio— Cultural de Amigos de Adobes.

Y puestos aquí, voy a dejar el tema porque como siga hablando no acabo con el bocadillo que llevo entre manos y dientes.

Es curioso como cuando uno no tiene las ideas claras de lo que vas a escribir, terminas contando siempre lo mismo. Que si esto, que si lo otro, que si lo de más allá, el caso es matar el rato y no decir nada que ya se sepa de memoria.

Esta noche no tengo compromiso alguno y a salvo que algún desaprensivo invada la casa, pienso en recomponer el **estalaje** de papeles que tengo tirados por los rincones del salón. Es algo así como un gran puzle de fichas que voy guardando en unas carpetas y que voy recogiendo en mis largas caminatas por el campo en mis ratos libres.

Sobre la gran mesa de madera se me amontonaban cientos de citas de piazos y de parajes. Aparentemente todos tenían una misma fisonomía y casi de idéntico tamaño. Yo, en esto del término del pueblo de Adobes no me lo conozco al dedillo, ni como el palmo de la mano, ni al metro, pero reconozco que en cuestión de parajes soy capaz de saltarme de golpe de las Rebollas a la Pedriza sin pasar por el Sestero ni por el Ojo.

Sin que lo sepa nadie, una vez me fui por el vallejo Meaburros y fui a salir al Espinar.

—Amigo lector, si tú tampoco sabes si lo que digo es verdad o mentira. A salvo que seas abuelo, viejo o anciano.

Tal era el desbarajuste que tenía sobre la mesa, que me sentí un perfecto inútil ante tan destartalado rompecabezas. Hubiera pedido ayuda pero sentía rabia de que después de haber pateado tanto el campo me tuviera que rendir ante unos montones de hojas.

Intenté estimularme con unos cuantos aciertos a base de tener que acabar un café de un cuarto de litro y de tragarme unos cuantos cigarrillos de tabaco. Había logrado hacer tres montones distintos, pero el problema seguía sin resolver. Hasta la humareda del tabaco se me ponía en contra.

—Me preguntaba… si tengo que montar tres puzles distintos, ¿cómo puede ser que me coincidan el mismo número de piezas, pero no de piazos?

Un sorbo de café entre el humo de los cigarrillos se encargaron de calmar la impaciencia de las piezas y de ir llevando cada piazo a su lugar correspondiente. De vez en cuando alguno se resistía a encajar en su sitio, lo que me suponía cambiarlo de dueño con el consiguiente enfado por el error, que no por las hectáreas, ya que hasta ganaba en el asunto.

Como las reclamaciones eran las mínimas y además no se atendían, aligeré el paso para evitar que el humo no disparara la alarma de incendios que por momentos estaba a punto de explotar. Tenía a punto de acabar el primer puzle cuando me di cuenta de que aquello no parecía normal.

Estaba tratando con datos del año de la **catapera** y me salían fincas y piazos por cualquier lado. Si no me había equivocado, allí me iban a salir propietarios a **porrillo**, y la verdad es que no veía yo el pueblo con tantos vecinos.

No me cabía otra solución que darme una vuelta de casa en casa y comprobar que realmente aquello era cierto. Así que me confeccioné un rústico plano del pueblo y me dispuse a hacer las verificaciones oportunas.

Esta noche me pierdo en el túnel del tiempo. Tenía que volver a los años cuarenta y cincuenta para ver si el pueblo era tal como aparentaba.

Así que a dormir.

La noche fue larga, muy larga.

Para soñar.

Y soñar.

Desperté…

Me eché a andar…

Estaba en aquellos tiempos en que el pueblo era real y estaba lleno de gentes.

Anduve calle por calle, casa por casa y callejón por callejón por todo el pueblo, metiéndome hasta en las casillas y zahúrdas habilitadas. Por correr, hasta me bajé a las eras por si viviera alguien por las casas de la Lomilla o si hubiera algún ganado que yo no supiera por los pajares. Mi sorpresa fue mayúscula al comprobar que casi todas las casas estaban en pie y habitadas.

Una vez repasadas todas, y a pesar de que mi cabeza olvide alguna, comprobé que en todas las casas se dedicaban a las tareas de la agricultura de una manera u otra, aún en grado mínimo, aunque solo fuera para mantener a media docena de gallinas.

Si en un principio me sentía incrédulo y el número de piazos me parecía excesivo una vez hecha la división elemental por vecinos, resultó que me daba una proporción ridícula a repartir y en cualquier caso era lo justo e imprescindible para poder sobrevivir. Además, me encontraba que el reparto era proporcionalmente inverso en relación con las familias de distinto poder económico, lo que obligaba a los más pobres a tener que roturar tierras comunales o estatales de escasa productividad y a largas distancias del núcleo urbano.

Una explicación elemental para tanto aprovechamiento y explotación de las tierras de cultivo la deducimos al comprobar que la mayoría del cereal y forraje se dedicaba al uso de comida para los animales caseros, como los mulos, ovejas, cabras o cerdos. Otra parte se consumía en la propia casa como elemento básico de primera necesidad, sobre todo con las legumbres varias y con el trigo para molerlo y sacar la harina.

Y todo esto sin olvidar que gran parte del pago por adquisiciones, tanto en las tiendas del propio pueblo como ambulantes, se realizaba mediante trueques a base de cualquier mercancía. El uso de huevos como moneda de cambio era más que habitual en estos tiempos, sin olvidarnos de las patatas, trigo, cebada, etc, e incluso de una piel del ganado.

Y si de la agricultura hablamos, no estaría de más volver a insistir que esta tierra está poco agraciada por la climatología, dado que su altitud se encuentra entre los mil trescientos y los mil cuatrocientos metros, estando apelmazada por sus constantes heladas y escarchas durante gran parte de la época en que se produce la germinación de los cereales.

Su tierra, a salvo de las cañadas por donde discurren las acequias y guarda cierta humedad debido a su espesa capa de humus sedimentario, suele ser secano, lo que hace que su intensidad en la siembra se tenga que hacer en años alternativos para dejar descansar, airear y fertilizar con estiércol su tierra.

En el lenguaje popular siempre se suele hacer referencia a la terminología de los **pagos** como zona a la que corresponde cultivar cada año y que no es otra que una tradición del pago que había que hacer para poder roturar, sembrar y pastar la tierra de los antiguos terratenientes o de las tasas con que se gravaba dicha actividad.

El término municipal de Adobes se encuentra dividido según la tradición en dos pagos. El **pago de arriba** en el sur, que coge desde el saliente a poniente con los términos de Tordesilos, Alustante y Piqueras, y el **pago de abajo** por el norte, limitado por el término de Tordellego. Su línea divisoria artificial estaría formada por los caminos de Piqueras y de Tordesilos con salida desde el pueblo.

Hoy en día se ha perdido la tradición. Con la maquinaria moderna y las nuevas técnicas de agricultura, se suelen hacer explotaciones intensivas para mejorar la productividad y la rentabilidad. Los nuevos agricultores están supeditados a las normativas comunitarias que van variando en función de los mercados y atendiendo a las imposiciones y a las subvenciones para poder subsistir.

En aquellos tiempos pasados la agricultura era paralela a la ganadería, con lo cual al respetar la rotación de los pagos se facilitaba que los ganados pudieran pastar con más comodidad y aprovechar mejor los rastrojos tras la recolección. Incluso parte de ellos se reservaban para el carnicero de turno que alimentaba al pueblo.

Si en las casas nos habíamos encontrado con familias con proles más que numerosas de hasta cinco, diez o quince hijos, no es difícil de entender que más sobrecarga de hijos varones llevara a una explotación más que asfixiante de la tierra para poder atender las necesidades básicas de supervivencia y más teniendo en cuenta que la mano de obra estaba más que garantizada en la propia casa.

Que los años cuarenta y cincuenta fueron de postguerra es evidente y en el recuerdo queda y que en ese mismo periodo de tiempo se agravó más todavía la hambruna en estos pequeños pueblos serranos, de todos es sabido y vivido. Que existió un racionamiento controlado por la Dictadura del Estado para los productos básicos como la harina, el aceite, el arroz, etc, de muchos es conocido y hasta vivido, y que proliferó el **estraperl**o, por todos fue ejercido.

Serían infinidad de cuestiones más las que nos llevarían a sacar conclusiones de porqué en este pueblo se vivía así y de porqué esas penurias acechaban a casi la totalidad de las familias. Seguramente tendríamos que ponernos en su lugar para poder descifrar realmente tal situación.

Tendríamos que hacernos con una **yunta** de un par de animales de labranza o al menos con un mulo con el que poder hacer pareja con el vecino o familiar para labrar o sembrar y no estar condenado al fracaso y a la miseria. Que puestos a tener, tanto puede ser un burro como una mula, o una yegua como un caballo, siempre que la pareja sea lo suficientemente aparente como para parecer una yunta.

Y no es que la desproporcionalidad tenga que ser tan grande como la del caballo de Don Quijote y el burro de Don Sancho, pero al menos sino agraciados, un poco aparentes.

Que, de haberlos, los hubo de tal guisa. Que yo lo he sentido y lo he oído decir que en más de una ocasión hasta vergüenza les daba salir a la calle con semejantes jumentos. Dicen que fulanito llegó a poner una vaca en el **yugo** y que cuando iba a labrar era el hazme reír de todo el vecindario.

—Pero, ¿cómo no le da vergüenza?

Él ni caso.

Dado el caso de que por el momento no viene ningún tratante al que regatear y que no disponemos ni de arreos ni de arado, lo mejor será engancharnos a la primera esteva que veamos y hacer unos surcos con los que aprender unas nociones mínimas de labranza.

Puestos a salir, nos encontramos con la duda de qué camino tomar. Una ojeada al plano de tierras de labor nos permite coger uno de cualesquiera de los que parten del mismo pueblo en su red principal, normalmente denominados por el mismo nombre al que se dirigen, para después tomar la desviación más oportuna que nos permita llegar al sitio elegido.

Una red extensísima de caminos si tenemos en cuenta todas las sendas y veredas que finalizan en los piazos y parajes más alejados y recónditos del término de nuestro pueblo. Caminos que los propios labradores se encargaban de cuidar y rehacer cada primavera mediante **zofras** en las que participaba todo el pueblo.

En un principio eran caminos estrechos, pues estaban limitados al paso de las yuntas y poco más. Su anchura era la suficiente como para que pasar un par de animales con el yugo, una carga de leña o de támaras y en el peor de los casos un mulo con unas **angarillas** llenas de **yeros**.

Con el paso del tiempo y con la incorporación a las tareas agrícolas del popular carro de tracción animal, se fueron ensanchando y aplanando para evitar desniveles prolongados y eliminando las curvas más cerradas para eliminar los posibles vuelcos. No hay que olvidar que el término de nuestro pueblo sin ser extremadamente montañoso, sí que tiene más de un **rodal** no apto para elementos de este tipo.

Más de un carro ha dado la voltereta en cuestas donde los animales de tiro tenían que recular al no ser capaces de aguantar o de subir la carga, y debido a tal circunstancia en el pueblo no se llegaron a juntar más de cinco o seis carros.

Seguro que la cuesta de la Royaliza sabe de más de un juramento de los carreteros cuando la carga se apoderaba del carro y de los animales y las mordazas de las zapatas de los frenos chillaban a auxilio y olían a chamusquina.

Y puestos a elegir camino nos olvidaremos de la carretera oficial, porque sería la forma más cómoda de salir y cuando pensaron en ella fue para que sirviera de comunicación entre pueblos y no exactamente para que se espantaran los mulos de los coches.

Por escoger que no quede. Que yo sepa…

PLANO GENERAL DE LOS PRINCIPALES CAMINOS DE ADOBES

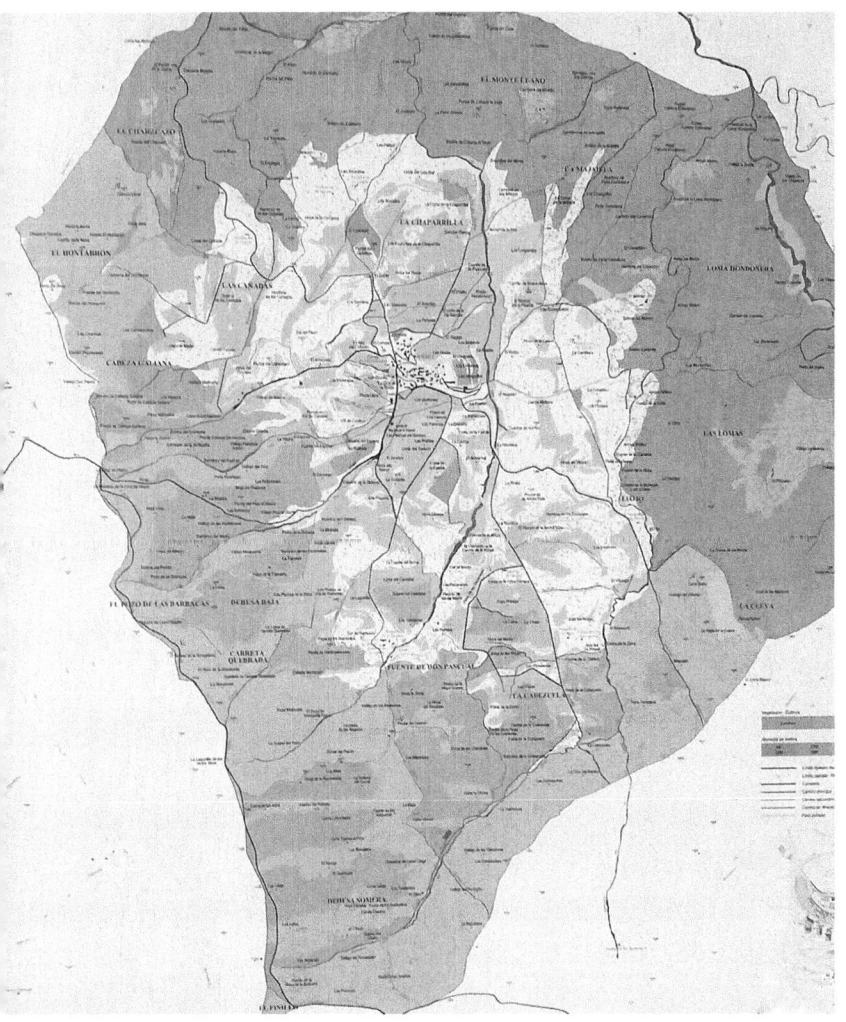

Empezamos…

CAMINO DE MOLINA.— Parte del pueblo por el Collado y tras pasar por delante del Pairón se deja caer por delante de la Colmenilla para repechar hasta el puntal del Santo junto a la carretera. Aquí hace un giro a la izquierda para ponerse paralelo a la actual carretera y seguir recto por medio de Valdelpozo hasta la loma que da vista a las Cañadas. Desde aquí sigue en dirección al poniente, cruzando el arroyo para pasar por la loma del Cofrade y aparecer por medio de los pinos del vallejo del Hontarrón hasta encontrarse con el camino que viene de Alustante, entre los mojones de Piqueras y Adobes. A partir de aquí seguirá siendo el camino de Molina donde se incorporarán los de Piqueras, Tordellego, Anquela, Prados y todas sus pedanías.

Como caminos secundarios o veredas que parten de él podríamos citar:

—El camino de la Chaparrilla que sale desde el Santo hacia la derecha.

—El de las Solanillas que sale recto desde el mismo sitio y que lleva a las paideras de dicho nombre, al Tallar y a los piazos de Cañantormo.

—El de Caimorro que parte del de Molina en el puntal de Valdelpozo y tras bordear toda la loma de la Leona llega a la altura de las paideras y al pico del mismo nombre, llamado popularmente la Torrecilla.

—El camino de las Carrasquillas, que se desvía a la izquierda entre las Cañadas y la loma del Cofrade.

—De Chaparrosconejos. Prácticamente olvidado e inutilizado a no ser por los seteros y cazadores. Se desvía a la altura del vallejo del Hontarrón hacia la derecha hasta el mojón de Tordellego.

Dicho camino de Molina fue desde la antigüedad y más todavía a partir de la Edad Media, la vía de comunicación con el Señorío desde el pueblo y toda la comarca, y que a su vez es una ramificación más de las que iban uniendo todos los pueblos de la Sexma de la Sierra. Por él transitaban todas sus gentes en busca de intercambios y de compras de mercancías. Era un hecho habitual que a la bajada a Molina se fueran encontrando por el camino gentes de diversos pueblos y que al regreso salieran en grupo con las caballerías arreatadas hasta encontrar cada uno su desvío correspondiente.

Los caminos a Molina supusieron un lazo de unión entre los diversos pueblos, no solo de la Serranía, sino del resto de las Sexmas, sobre todo con la del Pedregal y del Sabinar. El hecho de viajar juntos ayudaba a socializar y dar seguridad en los caminos.

Muchas de las actuales vías de comunicación, sobre todo las carreteras y caminos de concentración, están ocupando el espacio robado a los antiguos caminos llamados de Molina, hoy en su mayoría olvidados a la modernidad de los medios de transporte e incluso muchos de ellos ya han sido borrados del mapa.

CAMINO DE PIQUERAS.— El antiguo camino de caballerías en su principio está prácticamente anulado y borrado por el camino de concentración nuevo. Su salida natural partía desde el Collado y tras pasar por las eras se subía por lastras de las Cruces para seguir todo el cordel entre las fincas de labor, dejando el puntal de Valdecatalina y las Paderejas a la izquierda. Una vez en la loma seguía recto entre las paideras por el actual camino nuevo hasta llegar al rebollar de la dehesa Boyal, por donde sigue hasta llegar a la carretera en el paraje de la Cruz de Hierro en el límite del mojón de Piqueras. Desde aquí había una senda que bajaba hasta la fuente de los Gamellones, ya cerca del pueblo vecino.

Apenas tiene desvíos, a no ser el que sale a la altura del Arneruelo y que lleva a las Cañadas.

Este camino ha sido de los más transitados por la escasa distancia, una hora escasa de tiempo, pues era norma obligada ir a moler el trigo o a herrar a los animales a la fragua. También era habitual el trasiego de mozos y mozas en las fiestas patronales y más teniendo en cuenta la rivalidad existente en todos los sentidos.

CAMINO DE ALUSTANTE.— Su salida natural se hacía por el camino del Quiñón. Aquí se tomaba el primer ramal a la derecha y tras pasar un pequeño puente de piedra se subía hasta la loma para una vez cruzado el arroyo de Valdemartín subir por la cuesta de la Royaliza y seguir por la olla Primera, Bajolasollas, la olla del Medio, hasta llegar a la entrada de los pinos en la Cabezuela y a unos cientos de metros entrar en el término de Alustante, en el paraje llamado de la Cruz del Recibo.

Sus ramificaciones más importantes son:

—Camino del Ojo.— Que sale a la altura de la Chorrera.

—Camino de los Enebrales.— Se desvía antes de llegar a la olla Primera.

—Camino de las Fuentes.— Sale en la olla Primera hasta la fuente Don Pascual y las Decarás.

—Camino del Reposero.— Parte a la izquierda de Bajolasollas y termina en los Ojos de Roque y el Caño de la Zorra, junto al Villarejo.

—Camino del Ojillo.— Parte en el barranco de la Cabezuela y recorre todos los vallejos de la dehesa Somera hasta el área recreativa del mismo nombre.

CAMINO DE TORDESILOS.— Sale como el de Alustante desde la Fuente Vieja, pero en su desvío a la izquierda y tras bordear los huertos cruza el arroyo de la Badía y sigue hasta el llamado lugar de las Encudrijadas, donde se juntan varios caminos. Desde aquí se desliza al arroyo de los Molinos y tras pasar por entre los restos de ambos, sube hasta las Lomas para ir bajando hasta la Rambla o río Gallo y tras subir por el llamado Costalazo, llega al término de Tordesilos.

Camino tortuoso, difícil y de largo recorrido. Apenas se usaba, salvo por necesidad para ir a las paideras de las Lomas.

Desde dicho camino se podía acceder a los parajes del Morrón, el Cobachón y Cerrosmolinos.

CAMINO DE SETILES.— La vía más usada es la que salía del pueblo por el Pairon para pasar por las eras y el barrio del Buen Amor o barrio de Abajo para seguir por medio de las tierras de labor en el paraje del Pradohondero hasta llegar al arroyo de la Badía y coger el camino del Monte y bajar por el primer vallejo hasta llegar a Cabezaesteparejo y allí cruzar el río Gallo ya en tierras de Tordellego y cerca de las de Setiles.

Camino prácticamente desaparecido por su escaso uso y por las alternativas mucho más cómodas que se ofrecen. Inusual para nuestros días y puro testimonio en tiempos pasados, a no ser por algún viaje a Setiles llevando ganado o haciendo labores de campo.

Son varias las alternativas de viaje, pero todas de mal andar y de peor caminar, tanto por los Carquillos como por Peñacastellana.

CAMINO DE TORDELLEGO.— Comparte su inicio con el camino de Setiles hasta la carrasca de las Alforgas, a la entrada del Monte Llano. Aquí gira a la izquierda y sigue por el antiguo camino de Tordellego a Alustante hasta llegar al témino del pueblo vecino cerca del pairón del Cura.

Este camino es frecuentado en su primer tercio por dar acceso a una gran extensión de tierras de labor, mientras en la parte de monte apenas se usaba por los pastores para las cuantas paideras y por los leñadores para la tala de carrascas para hacer carbón.

No tiene apenas ramificaciones, a no ser por la senda que sale en dirección a las Hoces.

Cabe resaltar que en su recorrido permanecen vivas un par de carrascas centenarias como son las carrascas del Muerto y de las Alforgas. Antiguamente este camino estaba jalonado por carrascas para seguridad de los transeúntes en las nevadas.

CAMINO DE TORDELLEGO A ALUSTANTE.— Comparte y da nombre a varios de los ya mencionados al cruzar nuestro término de norte a sur. Desde el mojón de

Tordellego hasta las Encrudijadas sería el camino del Monte. Desde aquí seguiría por Cerrosmolinos hasta la altura del Ojo y del Villarejo para subir arroyo arriba hasta la Cabezuela y se juntaría con el camino viejo de Alustante. Otra desviación seguiría por el vallejo de Majalalto hasta llegar al camino de Alustante por el corral Blanco.

Este camino era una alternativa para la gente que iba a Molina, pero querían pasar por los pueblos de El Pobo, Morenilla y Castellar de la Muela.

PISTA FORESTAL.— Usada antiguamente para sacar la madera del pinar, se ha convertido en la vía de comunicación más usada para acceder a los pueblos de la Sierra y a la provincia de Teruel. Sale de la carretera en la Cruz de Hierro y recorre todo el cordel de la dehesa Baja y la dehesa Somera hasta llegar al término de Alustante.

De ella salen infinidad de carriles que pueden llegar a los Majadales, los Altos, los Cotos, el barranco el Medio, el de las Escalerillas y a través del Pinillo hasta el pueblo de Piqueras y Alcoroches.

Hay una segunda red de caminos que podríamos llamar secundarios que son exclusivos para uso agrícola o ganadero, y que en muchos casos son desviaciones de los anteriormente citados, pero que por eso no dejan de tener su importancia.

CAMINO DEL ARNERUELO.— Parte desde la carretera una vez pasado el Collado en dirección a Piqueras y se adentró por el paraje referido para dar acceso al rincón de Valdelpozo y al fondo de las Cañadas y las Carrasquillas.

CAMINO DE LOS POYALES.— Se desvía de la carretera a la izquierda antes de llegar a la curva de la Boca del Arenal y sube por todo el vallejo hasta encontrarse con el que viene de la Esteva, y a partir de aquí sigue por la Lagunilla y las paideras de Valderaimundo para adentrase por la loma de los Majadales y seguir hacia el Ojillo. Era muy usado por las reatas de mulos por el atajo que suponía.

CAMINO DEL ARMACHAL.— Tiene su salida en el prado de los Lienzos en los Quiñones hasta la Esteva donde tuerce a la izquierda para seguir hacia Hoya Lavada y Valdemartín e ir a parar al camino de Alustante en la Royaliza.

CAMINO DE LAS LOMAS.— Es la continuación del ya descrito camino del Ojo pero esta vez cruzando por medio de la Pedriza hasta juntarse con el camino de Tordesilos. Este camino está jalonado de mojones cada cien metros para indicar en tiempos de nieve de la ruta a seguir entre las carrascas hasta las paideras.

CAMINO DE LA CUEVA.— Sale del camino de Tordellego a Alustante a la altura del Villarejo y bordea todo el pinar de Majalalto en dirección a Peñarubias, quedando la famosa Cueva de los Moros a la izquierda en plena loma.

CAMINO DE ATAJUELO.— Como su propio nombre dice, es el atajo que se usaba para acceder al Royo Molino. Sale desde la Badía y sube recto por medio de las piedras del Atajuelo, cruzando Cerrosmolinos y tras llegar a la Covatilla baja directo a los huertos de Molinicos.

CAMINO DEL ESPINAR.— Nace en el prado de la Ermita y discurre por el Canalón hasta llegar a la fuente y seguir todo el barranco has llegar a la Cruz de Hierro en el término de Piqueras.

CAMINO DE EL POBO—SETILES—TORDELLEGO –ALUSTANTE.—

Este antiguo camino ya en desuso y desaparecido comunicaba la Sexma del Pedregal con la Sexma de la Sierra y el Bajo Aragón en la provincia de Teruel y los Montes Universales.

Antiguamente la madera era uno de los recursos principales y su necesidad era muy demandada por todo el Señorío de Molina, lo que llevaba a tener que recurrir a los montes de Orihuela, Bronchales, Checa, Orea y toda la Sierra para abastecerse de puertas, ventanas y demás mobiliario.

Comparte y da nombre a varios de los ya mencionados y cruza el término de norte a sur. En Adobes cruza por el Monte, Cerrosmolinos, el Villarejo para terminar conectando con el antiguo camino de Majalalto, Peñarubias y Alustante.

LA PISTA FORESTAL.— Actualmente vía imprescindible de conexión rápida con vehículos a motor con la provincia de Teruel y su capital.

Usada antiguamente para sacar la madera del pinar en las subastas tradicionales del municipio, se ha convertido en vía de servicio para ir a Alustante y pueblos limítrofes.

Discurre por todo el cordel que forman los mojones de Piqueras y Alustante desde la Cruz de Hierro. De esta pista o camino parten infinidad de carriles a distintos parajes de la Dehesa Somera y la Dehesa Baja o Boyal, como el de la Olla las Avenas, la Loma de los Altos, los Cotos y los barrancos del Medio y de las Escalerillas.

Con toda seguridad que me he olvidado de más de uno que tendría su importancia en la historia de este término del pueblo, y hasta seguro que lo he andado sin darme cuenta, o pudiera que en posteriores salidas por el campo me topare con alguno de ellos y hasta tenga anécdotas que contar. Que reiterar en la misma terminología, más de cinco páginas se hace aburrido y antiestético.

Y puesto que ya sabemos qué camino tomar y entre tanto rato perdido, el **tratante** antes nombrado ha tenido tiempo de engatusarnos una **yunta** de mulos **cociosos**. Mejor que nos hagamos al campo para comprobar cómo se comportan y de paso conocer unas mínimas nociones de la que era la labranza en décadas pasadas.

—Seguro que nos ha engañado el tratante. Y sino al tiempo.

—De estos me fio yo menos…

—La **calaña** de los animales no parece mala, pero…

—Mira que cuando te ofrecen cosa buena y medio regalado, ¡¡¡date!!!

Puestos a probar, yo sabía que por la cuadra andaban los aperos o arreos de labrar, y que el yugo estaba colgado en la pared para que sirviera de **vaste** del gallinero. Del arado asomaba la esteva por entre el hueco de la escalera entre unos **cándalos** y **hornijos** con tantas telarañas que apenas se dejaba entrever.

Una vez desapolijados de sus inmundicias, comprobé que el yugo no solo lo usaban las gallinas para descansar, sino que los ratones lo usaban para ejercitarse en el arte de roer, y si al timón ya le faltaba un trozo en la punta, no era de los ratones sino de algún gorrino hambriento que llevaba días sin comer.

Un vistazo por encima por si faltara alguna pieza y arreando para probar la yunta.

—El yugo está.

—El arado también.

—La zurriaga…

—Pues falta la zurriaga.

—A buscar tocan.

Me puse a recordar que es lo que necesitaba para poder salir con un mínimo de garantías a labrar o arar. Yo conocía de esta asignatura lo que me dio tiempo a aprender en media docena de veces que me dejaron coger la **esteva**, que dicho en surcos no pasarían de unos centenares de metros o de unas **fanegas** de tierra.

Por saber…

Sabía que para poder adecuar un piazo a la hora de sembrar había que realizar una serie de trabajos previos necesarios e imprescindibles. Y que prescindiendo de la tierra a roturar, ya fuera de propiedad o **rozo**, lo primero que teníamos que hacer era limpiarla de todos los **matujos** y **tollagos**, para posteriormente levantar y airear la tierra. Que había que darle varias vueltas para que se fueran matando las raíces de malas hierba, se fuera espojando con la lluvia y se fueran despedregando para dejarla lista para la labor.

Sé que después salían al campo con distintos arados para hacer otras labores específicas como vinar, barbechar, sembrar, allanar, tablar, etc, y que según el trabajo a realizar le ponían al arado distintos aperos. A uno le decían el rosal, la vertedera, la reja, etc. Si digo verdad, ya casi ni me acuerdo.

De lo que yo recuerdo…

BARTEZUELA.— Era una especie de rasera con un mango largo que servía para quitar la tierra del arado.

BARRÓN.— Barra de hierro Terminado en punta y que se acoplaba al arado para que fuera abriendo el surco.

BARZÓN.— Era un arco de madera colgado del yugo donde se metía el timón del arado para sujetarlo con la **lavija**.

PESCUÑO.— Cuña de madera de carrasca que se ponía en el arado para sujetar la plancha y el barrón.

CHAVIDA.— Espátula de hierro
con mango de madera para quitar las
hierbas que se trababan en la
horquilla del arado.

LAVIJA.— Pasador de metal o de
madera de carrasca que se ponía en
el agujero del timón para asegurarlo
al yugo y regular la distancia de tiro.

ZURRIAGA.— Látigo de cuero fino
y largo atado a un mango que se
usaba para arrear a las caballerías o
incitarlos a seguir en el surco.

PLANCHA.— Componente de hierro
del arado de forma triangular que
se colocaba encima del barrón para ir
abriendo surco en la tierra.

MEDIANA.— Plancha curvada
apoyada al brazo del arado que
hace que la tierra se levante y se
quede al lado de la labor.

Sabiendo de antemano que me faltan cantidad de aperos que no conozco o los tengo en el olvido, es seguro que la historia no sale bien. Ya veremos cuando empecemos a labrar si no tenemos que volver a casa con el ridículo encima.

La **yunta** estaba más que impaciente en la puerta de la cuadra esperando que me decidiera a echarles el yugo a sus cuellos. Mi alevosa torpeza no lo consiguió hasta el cuarto o quinto intento y porque los animales dejaron de **esbarrar** cuando vieron que la fuerza de mis intentos se imponía a mi poca destreza.

Casi que mejor, dejarnos de tonterías y nos llevemos bien.

La pareja de mulos se miraba sin poder evitar su complicidad. Mejor comportarse como dios manda que no probar el zumbido de la zurriaga.

Lo que más me temía es que el arado no lo llevara en orden y con tanto **aripiezo** y apero de por medio, solo me faltaba que tuviera que abandonar el piazo a medias o mal labrado, con el consiguiente cachondeo por parte de las gentes mironas del pueblo o del lugar. Mejor no crear la fama, por lo que pueda pasar.

Como novato en el asunto, no sabía ni por dónde empezar ni que piazo elegir, y puestos al caso mejor irse un poco lejos, donde a poder ser si uno mete la pata que la pueda sacar sin que nadie se dé cuenta. Que eso de elegir el piazo no era una tarea tan fácil como parece, ya que depende del tipo de tierra que tenga y del grado de humedad que guarde.

En más de una ocasión he oído decir que si va duro, que si va blando, que si va suelto, que si va, que si no va, etc. Y si la faena hay que hacerla, mejor en el momento justo, pues cuando llegue la ocasión y la cosa está en su punto apropiado, que aligerar lo más posible siempre da su beneficio.

Porque según el tipo de tierra, el grado de humedad y la morfología u orografía que tiene el terreno se le pueden dar distintas denominaciones de tipo general o local. De las habladurías del lenguaje popular recuerdo algunas de las más frecuentes que solían dispensar los labradores cuando se juntaban en los ratos de ocio.

Si por recordar, en mi cabeza quedan algunas denominaciones que me vienen a la cabeza y en mi boca son más habituales y hasta repetitivas en muchos de los parajes de nuestro término. Que por ridículas que parezcan son las usuales del lugar.

HOYA.— Como su propio nombre indica es una formación de terreno cóncavo. Suelen tener una parte de su superficie casi llana con tierras de buena calidad debido a la sedimentación donde se conservan largo tiempo la humedad y unas cabeceras pobres y erosionadas por las correntías de tantos años de labranza. Ideales para el cultivo de cereales e incluso en tiempos pasados se solía usar para la siembra de patatas de secano en sus partes más bajas. (Como curiosidad, me he encontrado con relativa frecuencia la palabra "OLLA" refiriéndose a la misma expresión ya que la forma cóncava y la definición de la palabra nos llevan a la misma conclusión. Hoya como hundimiento de tierra y Olla como instrumento de cocina de similitud o parecido entre ambas.)

SESTERO.— Zona de terreno elevado, llano, soleado y aireado, pobre en producción a salvo del centeno o de trigo en años de lluvias propicias. Su nombre hace referencia al lugar escogido por los pastores para dejar sus ganados a descansar en las horas tórridas de calor. Como representativo del pueblo, la loma que se encuentra enfrente a las casas y que se denomina "el Sestero". Otro muy famoso es el sestero de los Majadales por su situación y amplia visión del término del pueblo hacia su cara norte.

VALLEJO.— Valle pequeño encajado entre dos costerones y con un arroyuelo o acequia en su parte baja. Sus piazos suelen ocupar las partes más bajas y llanas donde sus tierras son de buenas cosechas de todo tipo de cereal, incluso para el forraje.

LOMA.— Es una extensión de terreno llano o semiondulado con escasa vegetación, con tierras muy pobres debido al azote del viento y a la erosión. Habitualmente son piazos pedregosos y con escasa capa de humus que favorece la rápida filtración del agua de la lluvia. Se suelen dedicar a la siembra del centeno y en su defecto abandonarlos para el uso de pastos para el ganado por su generosidad a la hora de producir gran cantidad y variedad de flores.

POYAL.— Son piazos largos y estrechos colocados en forma de escalones en un costerón y separados por ribazones de gran altura. Propicios a retener el agua en sus partes más bajas y dóciles para ejercer la labranza, debido a su espesa capa de sedimentos. Ideales para cualquier tipo de siembra de cereales.

COSTERÓN.— Zona de terreno inclinado que comprende desde una loma o cerro hasta un vallejo, cañada u hoya. Sus piazos se adaptan a la morfología y orografía del lugar, aguantando sus tierras a base de pequeños ribazones, premiando a sus partes más bajas de mejores capas de sedimentos. Suelen labrarse de forma que los surcos tiendan a ir subiendo la labor para evitar compensar la fuerza de la erosión.

LAGUNILLA.— Es una franja de terreno casi llana con escasa pendiente para desaguar y sin acequia que libere el agua acumulada. En tiempos de lluvias suelen encharcarse con frecuencia lo que dificulta las labores de labrado y de siembra. Su tierra suele ser de excelente calidad para todo tipo de cereales y de forraje por su conservación de humedad, aunque suele tener el inconveniente de que si la mies o las cañas crecen demasiado pueden tirarse por el suelo llegando a pudrirse o dificultando su siega.

CERRILLO.— Es un promontorio de terreno pequeño que destaca por su elevación sobre la llanura. Los piazos que hay en su entorno se tienen que amoldar a su orografía en forma de abanico. Como ejemplos, el cerrillo Piqueruelas o el cerrillo Damián en las Cañadas.

CHARCAZO.— Como su propia palabra indica es la formación de un charco grande de agua sobre todo en las nevadas de invierno y en los deshielos de la primavera. Suelen formarse en la dehesa Somera y en algunos prados.

REPOSERO.— Zona de terreno acomodada bajo una orografía de peñascos o riscas. Son de escaso valor para la agricultura y se aprovechan para reposo o asesto del ganado.

NAVAJO.— Son zonas de terreno donde suelen confluir varias acequias o encaños y que por su generosidad de humedad se aprovechan para la siembra de tubérculos o forrajes.

HUMEDAL.— Porción de tierra de un piazo o de una zona que mantiene permanentemente la humedad durante todo el ciclo de labor. Suelen ser piazos de excelente calidad y se dedican por lo general a la siembra de patatas o de tubérculos. En algunos casos llegan a convertirse en parte de huertos para el cultivo de hortalizas y legumbres.

CABEZUELO.— Es una zona alta de terreno donde llegan los piazos de una hoya o vallejo sin alcanzar su loma. Suelen erosionarse con mucha facilidad por su inclinación y sus partes más bajas son las que mejores cosechas tienen.

CANALÓN.— Como su propia palabra indica es una formación de piazos a ambos lados de un arroyo y cuyas dimensiones mantiene medidas similares en todo su conjunto. Sus llanas tierras suelen ser generosas y propicias para la siembra de todo tipo de cereal.

CASQUIJAL.— Son piazos pedregosos y arenosos donde predominan los bolos o casquijos. Suelen estar en lomas erosionadas y su aprovechamiento está casi reservado para el cultivo de centeno.

ROZO.— Se denomina rozo al piazo o parcela de terreno que se rotura por primera vez y con previo permiso se permite liberarlo de matujos, tollagos, aliagas y demás para dejarlo apto para la agricultura. Son zonas de propiedad comunal o estatal principalmente y de escaso valor para las labores de campo.

QUIÑON.— Es una porción de tierra pequeña y de buena calidad que se encuentra en los alrededores de la población. Antiguamente se consideraba una medida de superficie. (éste apartado será tratado más meticulosamente en su momento oportuno).

MAJADAL.— Zona de terreno cerca de las paideras o de los sesteros.

Mi memoria no es que dé para mucho más, aunque si me pusiera en el pellejo de algún viejo del lugar seguro que me saldrían unas cuantas palabras más y con denominación de origen. Y es que el lenguaje autóctono usado en el campo es de lo más rico, conciso y variado que nos podemos imaginar, usando las palabras justas para definir con exactitud las cosas. No sería nada malo recordar que por esta zona de la sierra perdura el castellano antiguo derivado del romance y con un ligero acento musical maño que todavía lo ennoblece más y le da cierta gracia popular. Cada palabra tiende a expresar exactamente lo que quiere decir, matizando con detalles el hecho o asunto al que hace referencia.

Si dijera que una cría de gorrión es un **chillambre o gurriato**, para muchos nacidos en el pueblo en el siglo pasado, sería algo normal y no repararía en las palabras usadas, pero para una gran mayoría, aquellos otros, no tendrían ni puñetera idea. Y si yo dijera que un gurriato o cría de gorrión es aquella que se tira todo el día chillando de hambre en la bocateja del alero del tejado, seguro que no hay academia que pueda competir con la escuela del pueblo llano a la hora de acuñar palabras con tanta exactitud.

Chillambre = Chillar de hambre.

Es una lástima que hoy en día se haya perdido la riqueza de este lenguaje por comodidad con las nuevas tecnologías y que con cuatro palabras nos conformemos en entendernos. No deja de ser un empobrecimiento cultural de suma gravedad, y es que el lenguaje del campo en las zonas más deprimidas y abandonadas de la geografía española es rudo y noble como sus propias gentes, tanto en el nacimiento de aquellas palabras a trompicones entre terrones y ababoles y que terminaron por germinar poco a poco con el uso diario de sus pobladores.

Yo que apenas tuve tiempo de poder asirme a la esteva del arado, me siento medio analfabeto cuando oigo hablar a los labradores con fonemas raras y estrampóticas en cuestiones a temas referidos a los piazos y sus labranzas.

La misma palabra **piazo** sería un ejemplo de esa manera de expresarse, una abreviatura acomodada al lenguaje popular, facilitado por su fonética.

Como yo de viejo no tengo nada, es un decir, se de unas cuantas maneras de llamar a los piazos según sus formas dibujadas, la composición de su tierra y la inclinación del terreno. Y como de joven aún tengo menos, se de unas más que seguro no figuran ni el diccionario de la Real Academia de la lengua Española.

Si de oídas fuera, me suenan algunos fonemas más que repetidos por agricultores y labradores.

Por ejemplo, te diría…

PITARRAL.— Denominación que se daba a un piazo o zona de labranza con terreno poco productivo y que no merece la pena perder el tiempo ni en sembrarlo por su escaso rendimiento. Casi siempre está asociado a lomas pedregosas o tierras estériles.

COLUCHA.— Se trata de una finca de labor estrecha, torcida y alargada en su forma de cola y que se adapta a la configuración y orografía del terreno.

MENCHAJO.— Se trata de un piazo de morfología fea y con una figura indeterminada que tiene poca gracia a la vista y con el agravante de ser poco productiva.

RIBETE.— Piazo estrecho y alargado que transcurre a lo largo de una acequia o riachuelo. Suelen ser zonas de tierra sedimentaria de excelente rendimiento de cereal.

RETAL.— Se trata de un trozo o zona de un piazo que queda separado o partido por medio de entre ribazón.

SIMA.— Parte de un piazo que se ha hundido debido al corrimiento del terreno por efecto de las lluvias.

ERIAL.— Piazo medio baldío o abandonado donde predomina la maleza y los tollagos.

CALVA.— Porción de tierra de una finca donde no germina la cosecha debido a la escasez humedad o composición de tierra.

ARENAL.— Piazo donde la composición principal de la tierra es arena.

CAZUELO.— Piazo pequeño y de forma redondeada y que debido a su inclinación solo tiene una sola salida.

CHATA.— Piazo que se encuentra situado en lo alto de una loma y de escaso poder de producción.

CAIDA.— Piazo que se descuelga desde lo alto de una loma hacia una acequia o cañada.

ROCHIZA.— Piazo encosterado entre rocas o peñascos de escasa producción.

Seguiría con algunas palabras más pero no es cuestión de que te canses de tanta palabrería barata y te saltes la página. Que el que da por bueno pasar una, se acostumbra por pasar de dos en dos y termina por irse al índice. – Que aquí el único índice que hay es el del dedo que sigue la línea de la escritura.

De aquella enciclopedia de nuestros antepasados, apenas me queda a mí unos apuntes en forma de libretilla de parvulito. Y doy gracias, porque por algo hay que empezar para llegar a superar un aprobado en estudios primarios. Y si por sacar nota es, pongo unos apuntes más:

CEBADAL

CENTENAR

ENEBRAL

ESPLEGAR

CHAPARRAL

ALIAGAR

ROBLEDAL

—¿Sigo…?

—Puedo seguir. ¿Para qué?

Cuando pienso que todo esto lo he tenido que estudiar en un cursillo acelerado para poder ponerme al día de estos temas, y que no me ha servido ni para sacar un aprobado. Y que del saco de vocablos apenas me quedaban unos cuantos de los que más me llamaban la atención.

Estoy dispuesto a aprobar como sea, arriesgándome a coger una yunta de mulos y lanzarme al campo para ver si realmente he aprendido algo de provecho.

Para probar pensé en no irme muy lejos del pueblo por si a los cuatro surcos me tengo que volver a cambiar los aperos adecuados con el consiguiente cachondeo por parte del vecindario. Aunque sería conveniente no estar a la vista por si la cosa no va muy fina. Que aquí el que más y el que menos sabe de la materia de sobras y a la más mínima duda te llueven las críticas a volandas.

Visto desde el pueblo, un sitio aparente sería detrás del Sestero por aquello de cerca de casa y lejos de la vista de la gente. Bien visto, la mejor opción era la Olla Lavada pues desde el pueblo solo asomaba una esquina del piazo.

(Según quien seas y de donde seas te importará un pito los lugares por donde ando, solo sirve para los lugareños nada más, tú omite lo que quieras o que no sea de tu interés).

Dicho lo expuesto, yo sigo…

Me he metido en un fregado que no sé cómo voy a salir, seguramente lo más seguro es que me salga un zancocho que más tarde me tendré que arrepentir de haber empezado.

Como la decisión estaba tomada y la **yunta** ya hacía rato que la tenía preparada y con el yugo puesto esperando en la puerta de la cuadra, así que no faltaba más que coger el arado y salir zumbando al **tajo**.

Y zumbando salieron los mulos cuando el timón del arado empezó a dar saltos entre los **bolos** de la calleja con el traquiteo de espanto que les achuchaba sin cesar sobre las patas traseras. Menos mal que los **ramales** hicieron de riendas y dominaron la repentina traca, de lo contrario sale volando por los aires como pólvora a toda intemerata.

Ya me temía yo que esta yunta supiera el oficio. Si por la palabra del tratante había de ser, sabían de más y con quien andaban, hasta solos tenían que labrar. Que las dudas cada vez eran más, cuanto más camino se hacía y cuanta más tierra había en él, o fue un sobresalto de la poca costumbre al empedrado de la calle, o me querían tomar el pelo y asustarme para luego ceder a sus antojos.

—¡¡¡Vamos pal tajo!!!

Subía yo tan **campante** con mi yunta camino del piazo como el que lleva la lección olvidada de tanto repetirla. La mayoría de las casas del pueblo ya se habían escondido debajo de la lomilla del Sestero, apenas asomaba el campanario de la iglesia y algunas casas del barrio del Castillo y del Tiro Barra. Estaba tan seguro de que no me venían, como de que yo iba a empezar a labrar con mi yunta.

Empecé el concierto sin batuta alguna y eso que yo era el director de orquesta. La solfa era tal que los surcos se salían de sus líneas de la partitura y algunos hasta me los comía o no los encontraba ni en el atril. Y menos mal a la yunta porque de lo contrario el concierto no llega ni a empezar.

Conforme aumentaba mi confianza en los mulos, aumentaban mis dudas de si lo que iba haciendo era correcto o no. Los surcos cada vez se torcían más y gracias a que el piazo era menos cuadrado que una pelota y con ello se disimulaba el estropicio que llevaba entre manos y esteva.

Cuando las idas y venidas se iban convirtiendo en monotonía y la esteva del arado se encargaba de dirigir casi solita al timón, tuvo que aparecer por el camino de los Poyales el listo de turno. (por estos lares todo el mundo es más listo que el hambre).

No contaba yo que me tenía que examinar tan pronto de estos menesteres para poder ejercer la carrera de agricultor. Resulta que estaba a punto de aprobar las prácticas y ahora viene el susodicho listillo con el examen de teórica.

—¿Qué, como va?

—Ahí vamos haciendo lo que podemos.

—La tierra parece que no va muy bien...

—Ya decía yo que la cosa no va.

—Quía, no parece que se de bien.

(La jodimos, este se ha dado cuenta que lo llevo todo torcido)

—Hay que hacer lo que se puede.

—Sí, sí, que el saber no ocupa lugar.

—Eso está más repetido que los surcos del piazo.

—¿No tendrás un cigarro?

—Por el **ato** anda el tabaco.

Apenas hice el gesto de dejar la esteva del arado para dirigirme a la zarza donde estaba el ato…

—¡¡¡Muchacho!!!

Me quedé casi sin **resuello**.

—Ni se te ocurra dejar la yunta así. ¿No ves que has dejado la lavija puesta en el timón y si dieran por espantarse los mulos salen con el arado arrastra?

Si me pegan un puñetazo a traición no me duele tanto.

—Y lo malo del todo no es que salgan con el arado arrastras, sino que se pinchen con el **barrón**.

En aquellos momentos me di cuenta de que había un error mayúsculo, digno del mejor suspenso. Hay cosas que en el oficio de labrar son sagradas y esta es una de ellas.

Seguía en silencio, sin saber que contestar, ni cómo salir al paso para poder quedar medianamente bien. Más me hubiera valido haberme ido a Cañantormo, oculto de las miradas de la gente.

—Debes ser novato en estos menesteres, porque visto como es el piazo casi que tendrías que haber empezado al revés.

—Ya, ya...

—Y la tierra no se te iría para abajo.

—Sí, sí.

—Otra vez que tengas que parar la yunta no saques el arao de la tierra, así te quedará de pie y podrás sacar la lavija del timón con toda facilidad y de paso asegurar que no hay ningún accidente.

—Ya, ya.

—¿No llevas un trago?

—Sí, un poco de agua.

—A falta de vino, buena es.

Tenía tan pocas respuestas que dar, que en aquellos momentos ni un buen trago de agua hubiera sido capaz de tragarse la saliva.

Ya casi se había dado la vuelta para marcharse, cuando se dirigió a un servidor y me pregunta.

—¿De dónde has sacado este arado?

—Pues de casa.

—¿No ves que el barrón está sin **abuzar** y la **reja** no es la propia para la tierra que llevas?

Me quedé mudo. La única contestación que cabía era la de ya, ya, sí, sí.

Como dio por sentado que la conversación no daba para más y era perder el tiempo en vano, dio un par de chupadas al cigarro y tras dejar una mirada en los garabatos de los surcos del piazo, se largó dejándome tranquilo y pensativo.

Menos mal que lo hizo el por propia iniciativa, porque de lo contrario la cosa no hubiera acabado bien. Ya empezaba a tocarme los…

Luego yo pensé y recapacité, dando por seguro un suspenso rotundo el que me propinó. A los pocos minutos convení con los mulos que lo mejor era recoger los **bártulos** y dejarlo para otro día que fuera más propicio.

Con la signatura cateada no tenía más remedio que volver a estudiarla para al menos rascar un simple aprobado y de paso buscarme un buen profesor en la materia con la suficiente experiencia entre los labradores del pueblo.

Pasaron unos días y unos meses.

La teoría la prendí con cuatro reglas básicas en función de la tierra a labrar, la labor a hacer y la temporada en la que se debía usar un arado, vertedera o rosal con sus distintos aperos. Que luego me enteré de que no es lo mismo usar la teja, la plancha, las orejeras y el barrón, pues de ello dependerá que se clave más o menos en la tierra y que el surco dará más vuelta a la tierra de labor.

Y que mala suerte la mía. Cuando más interesado estaba en aprender las tareas del campo y sus trucos de labranza, resulta que se cierra la escuela de aprendizaje y los maestros en el oficio empiezan a emigrar del pueblo a espantadas.

Cuando yo empezaba a defenderme en el uso de las áreas, fanegas, hectáreas, celemines, cuarterones y compañía, se queda el pueblo sin gente y me quedo con el curso a medias.

¡Adiós prácticas!

A tomar por culo todo. Esto es la desaparición del pueblo.

Y no es lo malo eso, sino que al no poder aprobar la asignatura pendiente tuve que abandonar la carrera y marcharme yo también.

Aquellos años que yo casi no llegué a conocer porque era un chiquillo que empezaba a aprender las cuatro tablas y a juntar los garabatos en forma de palabras, por aquellos entonces los piazos de siembra inundaban el término del pueblo hasta los sitios más recónditos. Hasta las aliagas y los cardos tenían que pelearse por hacerse un minio sitio en la orilla de una acequia, un ribazón entre fincas en los rozos de las lomas yermas.

Piazos por cualquier lugar del término del pueblo, desde el Hontarrón hasta el mojón de Tordellego, por el mojón de Piqueras defendiendo del acoso de pinos y rebollos. Piazos por doquier, desde las Solanillas, el Contairo, las Hoces y hasta las mismas narices del Monte Llano, desafiando cuestas, chaparras, enebros, llegando hasta las mismas Juntas, Olla Redonda, Cabezaesteparejo, el rincón del Cobachón o las mismas Lomas. Y porque en aquellos tiempos el forestal estaba más que atento para que no se rozara en la misma dehesa Baja o Somera.

Adobes era un pueblo que en pleno apogeo llegó a tener alrededor de un centenar de vecinos con su consiguiente prole de gente menuda que casi nunca bajaba de tres o cuatro hijos por familia, por no referirnos a aquellos de docenas, decenas o más.

Un pueblo aislado e incomunicado del exterior por su situación geográfica. No muchos años atrás a los que hago referencia, falto de carretera y de electricidad, y posteriormente olvidado al destino sin medios de comunicación básicos como la radio, la televisión, el teléfono u otros medios. Y que a pesar de su marginación fue capaz de resistir hasta bien entrados los años sesenta y setenta, con una autosuficiencia que provenía básicamente de la ganadería y de la agricultura.

Por aquellos entonces, un medio millar de gallinas proporcionaban huevos para el servicio de casa y como moneda de cambio para la cesta de la compra en la tienda del lugar. Las dos mil y pico de ovejas que pastaban por las dehesas eran la base de la economía familiar, prestando un suplemento de carne para el puchero diario y la posterior venta de corderos. A todo esto hay que añadir una pareja de cerdos que tras el engorde correspondiente permitía hacer una matanza con la que abastecerse una gran parte del año e incluso la venta adicional de sus correspondientes jamones, y sin olvidarnos de unos centenares de cabras que se encargaban de suministrar la leche y los calostros con los que complementar la dieta diaria.

Y todo esto dependiendo de una tierra no excesivamente agraciada para las labores del campo, donde la agricultura apenas es capaz de sacar adelante una cosecha de cereal, un poco de forraje en las zonas más húmedas y unos escasos huecos para plantar algo de hortaliza y otros tubérculos, y siempre con el consentimiento del tiempo, del cielo, de los Santos, y con la ayuda añadida de los abonos naturales de la propia cabaña de animales.

Un resumen final de este primer encaje de piezas que me llevaba a la conclusión de que si bien se podía considerar un pueblo consolidado como vecindario, nos dejaba como contrapartida una más que escasez de recursos en el reparto de bienes con el que subsistir. Una autosuficiencia que en general, y más en las familias numerosas, llegaba al grado de pobreza severa, y ya se sabe que cuando la pobreza es continuada lleva al hambre y a la miseria.

Y no hay peor compañera que la miseria.

Y se apestó el pueblo de miseria.

Y la gente luchaba por salir de ella.

La gente seguía luchando.

Se araban hasta los cardos para recoger hambre.

Algunos sembraban ilusiones para recoger migajas de nada.

La mayoría trillaban paja para recoger granzas.

Se imploraban a los Santos y se miraba al cielo para nada.

Yo recordaba aquellos otoños cuando el campo se avinagraba de mil tonos de colores y a los chavales nos mandaban a matar el hambre cogiendo majuelas, escaramujos y endrinas. Eran años muy duros donde las nieves aparecían a mediados de septiembre, apenas iniciadas las clases en la escuela y la única ilusión que esperábamos era para primeros del año siguiente y siempre que los Reyes Magos pudieran llegar con un lápiz y un cuadernillo de consuelo.

Cuando las grajas se acercan a las casas y los cuervos graznan por los alrededores, algo malo pasa o anuncian tiempos peores.

Hambre.

Hambre y gana.

Gana de pan, tocino y gachas.

Hambre.

Hambre y rabia.

Rabia de ruina, desvalido y pobreza.

Hambre.

Hambre y sed.

Sed de leche, aceite y malta.

Sed.

Hambre y gana.

Hambre de huevos, muñón y tarja.

Gana.

Hambre y ansia.

Ansia de rancio, salvao y paja.

Hambre.

Sed y ansia.

Hambre de casquería, patatas y granzas.

Más hambre.

Y más gana.

Ansia.

Hambre y rabia.

Apoyado sobre la vieja mesa de tablones de madera, meditaba con melancolía aquel puzle de filigranas que debían hacer aquellas familias para sobrevivir en aquel pequeño pueblo serrano abandonado varios meses a la interperie de la climatología y pendientes de la matanza de un cerdo o de las minias cazas de liebres, conejos o perdices. Buscaba una explicación lógica, pero muchas piezas no había manera de encajarlas y el panorama que se me presentaba era de familias con carencias elementales para la supervivencia. Mi intuición me decía que algo gordo debía haber pasado en tan poco tiempo de la postguerra.

Estaba amordazado por la inquietud de poder datar este mapa que acababa de terminar. Mis razonamientos me llevaban a perderme en el tiempo e iba remontando décadas y me encontraba que aquellas tierras llevaban siglos arando de las mismas formas y con las mismas cabezas de ganado en sus rebaños.

Me estaba empezando a deprimir ante tanta miseria casera y al recuerdo me venían algunas anécdotas de como las cocinas se convertían en verdaderos teatros donde se desarrollaba la vida diaria de la familia con todos los entreactos y tramoyas.

Recuerdo la cocina de mi abuela Francisca convertida en salón comedor y con su platea correspondiente para mayores y pequeñajos. Por allí se representaba toda la sociedad del pueblo y alrededor de la inmensa chimenea se chismorreaba sin pudor. Aún recuerdo como mis tíos colgaban la panceta del cerdo en el hueco de la chimenea para que se ahumara y soltara el tufillo de apetito.

Claro que también había otras cocinas como la de mi tía Basilia donde la luz natural no llegaba a entrar y las caras de los comensales se divisaban gracias a las llamas de la lumbre y a los escañetos que acompañaban ambos lados de la chimenea.

Puedo confirmar y confirmo que mi madre en cierta ocasión le dio un hueso de jamón a la tía para que terminara de **abarrerlo** y le duró casi un trimestre.

El susodicho hueso lo tenía colgado en la chimenea y día sí, día no, lo metía en el puchero con agua hirviendo y con una cabeza de ajo, cuando el caldo dejaba entrever un cierto olor a jamón, se le añadían unas huelgas de un corrusco de pan y se transformaba en una sopa castellana que según los entendidos resucitaban a los muertos, curaban a los enfermos, aceleraba el apetito sexual y preñaba a las mujeres.

¡Perdón, si he dicho sopa castellana! Seguramente la deformación y la repetición cansina y política de los medios de CLM me hizo dejarme llevar a tal expresión. La sopa era serrana y señorial como merece ser en esta zona de la península, en el Señorío de Molina.

Con la vaga seguridad de que apoyándome en la prehistoria me daba por contento, que no por satisfecho, dejé de obsesionarme y acepté la situación entre lamentos y sonrisas. Un poco más satisfecho me dejaba el pensar que no andaba la cosa muy retirada del siglo XII, cuando empezaron a llegar en serio los primeros pastores al pueblo y las primeras familias que se asentaron, y que por el siglo XV y XVI hubo una nueva explosión como vecindario con la construcción de la iglesia.

Casi aseguraría yo que más de una pieza del inmenso puzle fue pateada por las huestes de los Señores de Molina e incluso por alguna avanzadilla morisca de paso por la Serranía y los Montes Universales hacia las tierras de Albarracín.

Y sin comprometerme a acertar, que para eso está la historia, hasta los más lejanos iberos, posiblemente tuvieron la fortuna de poder cazar más de un venado entre el tupido matorral de carrascas y del frondoso pinar que rodeaba nuestro término.

Que un servidor, sin ser arqueólogo ni historiador, puede deducir a poco que se patee el campo, que el término de nuestro pueblo es un seguro hábitat de antepasados. Que muestras han dejado en lugares donde la orografía es ideal para la supervivencia.

Abrigos prehistóricos del neolítico como la Cueva de los Moros, la Cueva Cirijuelos, el Reposero, el rincón del Cobachón o el propio Molinicos, se pueden añadir a posteriores asentamientos como el Villarejo, el Castillejo, la Pedriza o Cabeza Galiana.

La historia de nuestro pueblo está unida con el entorno más cercano donde predominaron los pobladores iberos, celtiberos, pelendones, etc, precursores de romanos y musulmanes.

Y pasaron unos años, los que todos dejaron olvidados en el baúl de los recuerdos.

Puede ser que fueran los años sesenta del siglo pasado, por los 1960 y pico, o tal vez cerca de los setenta, en cualquier caso, el éxodo de las gentes del pueblo ya se había producido de manera irremediable hacia las grandes urbes industrializadas y modernizadas. Apenas unas cuantas familias se resistieron por algún tiempo y solo unas pocas se negaron a abandonar el pueblo, en cierta medida porque se dieron cuenta que el abandono de las tierras era de aprovechar.

Y cuanto cambia la historia, mientras antes se amasaba en artesa, en horno popular y se hacían tortas, madalenas, ratones, bizcochos, toda clase de repostería casera y panes de hogaza para la semana, ahora se compraba por barras y con dinero tocante y sonante. Aquellas colas para recoger el cupo de carne en la carnicería del consistorio mediante la correspondiente **tarja** personal, se ha pasado a comprar por chuletas y sin asaduras. El vino ya no tiene embudos donde glutear en las garrafas y porrones, se sirve en botellas etiquetadas con su denominación de origen para su mejor presentación y degustación.

Hasta el agua del Cañuelo y de la Fuente Vieja ya no son de fiar y prefieren comprar botellones con propaganda engañosa y dejar a los botijos y cántaros como adornos de los zaguanes de las entradas de las casas.

Que puestos a inventar, hasta el trabajo lo ofrecen y lo dan a cuenta de no crear nada y producir mucho. Donde el tiempo se cuenta por minutos y no por días, ni por semanas, donde el día amanece sin sol y se agota en la penumbra de la noche, donde el hambre se tiene, pero no se pasa, donde el agobio no para, el estrés avanza, y donde… donde te dejas llevar por la multitud que te arrastra.

Y yo estaba tan lejos de casa. Por decir una cifra cualquiera, a quinientos kilómetros o más, de los de mil metros por lo menos, y más que kilómetros me parecían años luz. Por suerte en Barcelona, por desgracia en una gran urbe de gente a patadas.

Por obligación tenía que ir a la mili cuando me llegó la hora como a todos de mi quinta. Como opositor a recluta fui declarado prófugo con dirección correcta y verificable y con certificado de residencia. Hasta fui declarado desertor, en el pueblo ya no estaba y en Barcelona ni figuraba. Y aun siendo presente, no estaba, ni era, ni me tallaban. Claro que, teniendo el número del D.N.I. de un muerto, ni lo certificaban.

Al final todo solucionado.

Por suerte y celebrado el sorteo por el mes de noviembre me tocó al CIR de Alcalá de Henares, por obligación e incorporación a filas como recluta en el mes de junio, en pleno verano de calor. Con gusto y por azar, volver a reencontrarme con algunos compañeros de colegio de años anteriores de Guadalajara y de Siguenza.

Aunque a muchos lectores esto de la mili les puede parecer irreal, ridículo y hasta desproporcionado, fue real por aquellos tiempos, aunque pocos meses después terminó por abolirse.

Como recluta novato y pelón raso, apenas tres meses escasos, me correspondieron un par de iluminarias, un servicio de cocina, un par de servicios mecánicos, ocho semanas marcando el paso, una pisando cardos y diez esperando el nuevo destino. Y juro que no hubo foto, ni desfile, ni beso, ni bandera.

Por buen comportamiento y por suerte en el destino, en el mismo sitio, en Mayoría con el Tte. coronel Mayor y de paso libre de guardias y con todos los fines de semanas libres del cuartel. Por confianza con el Capitán, hasta unas horas de propina para poder escapar del campamento antes de que desfilara la tropa.

Y viene al caso, que cada viernes por la tarde un servidor podía escaparse antes de la hora y hasta volver el lunes por la mañana, previa autorización al respecto.

Y como el caso era extensible a unos cuantos molinenses más, no dudamos ni una semana en ponernos de acuerdo para salir botando en cuanto llegaba la hora y volver el lunes todos junticos.

Y viene al caso, que como mi tío Aurelio se encontraba colocado en Obras Públicas de Molina y no tenía ningún inconveniente en que fuera de invitado a su casa, me hice amigo del hijo de la Ferretería Guillén que tenía un cuatro latas de Fagor y en que tenía asiento reservado. La realidad es que me fui acostumbrando a ir más de la cuenta por esos lares ya que mi residencia habitual y familiar estaba tan lejos como Barcelona y no me permitía desplazarme.

No recuerdo la ocasión, ni porque motivo fue a pasar. Seguramente lo que le suele ocurrir a toda persona que en ciertos momentos se sienten tan cerca de su pueblo y tan lejos, y Molina estaba a unos cuarenta y pico de distancia.

Que fue en otoño es seguro, que la festividad del Pilar ya había pasado y los Santos a punto de rondar. El sol duraba las horas más que justas y la humedad y el frío del tiempo presagiaban en el ambiente que las primeras nieves estaban al caer.

No es que yo llevara muchos años sin visitar el pueblo, tal vez ni uno, pero en aquellos momentos del servicio militar en que uno se siente solo y apartado de la familia, me pareció que era una eternidad. Necesitaba dar una vuelta por el pueblo a pesar de que con toda seguridad había estado en agosto como todo quisqui viviente disfrutando de las fiestas.

Aproveché la primera ocasión que tuve. Había varios vecinos de los pueblos cercanos comprando las necesidades básicas por Molina como suele ser habitual y entre ellos uno de Piqueras. No dudé lo más mínimo en "si podía ser" de subirme en su coche con mi macuto hasta Adobes.

Quizás mis ojos habían estado ciegos hasta entonces, o tal vez habían recobrado la vista, el hecho es que por más que se esforzaran en disimular la realidad, esta se volvía esquiva. Hay veces que uno ve la realidad y le cuesta aceptarla.

A través de la ventanilla del coche íbamos observando y comentando la cantidad de piazos labrados y sembrados que se apiñaban a ambos lados de la carretera. (conversaciones más que habituales en cualquier momento que se tercie con las gentes que viven por estos parajes, que si la cosecha va bien, que si el agua no cae, que si pinta bien o mal, que si el campo lleva buen color, que si tal o cual, etc, etc). Lo normal en estos casos aparte del tiempo y sus derivados.

Nos metimos por el desvío de Prados. Lo eligió él por aquello de la Guardia Civil, ya que es bastante habitual llevar los papeles caducados y no muy en regla, si es que los llevan.

Así que mejor acortar por Anquela y la dehesa de Teros para ir a salir a Tordellego.

Todo se veía verde como un inmenso prado. Trigos y cebadas que se perdían en los confines de las lomas de Torrecuadarada, Torremochuela, Pradilla y Otilla. Cuando íbamos acercándonos a Anquela empezaron a verse los primeros aliagares con síntomas de fincas paradas y abandonadas a la suerte del tiempo.

No estaba yo muy seguro de la observación, pues al llegar a la dehesa de Teros de nuevo resurgió el verde e incluso me pareció ver montones de piedras que evidenciaban la actividad de la limpieza de las lomas para convertirlas en tierras de labor.

A poco de pasar por medio de las casas de Tordellego salimos de nuevo a la carretera y tras alejarnos del cementerio empezaron de nuevo las dudas. La cosa empezaba a cambiar, los ribazones y los aliagares primaban sobre la rojiza tierra de labor y el verde de la siembra.

No pasó mucho tiempo para que la duda se disipara, pues enseguida nos metimos en el mojón del pueblo y con ello en pleno carrascal de las Hojuelas. Por aquí siempre la precaución siempre es poca, en cualquier curva o contra curva te puede aparecer otro coche, algún tractor o incluso algún ciervo o corzo que pretenda chafarte el auto o el día.

Salvadas las curvas y contra eses de los vallejos, repechamos el puntal de Ollalaropa sin más contratiempo que tener que pegar un frenazo para salvar el susto de un conejo que se atrevió a cruzar justo cuando pasábamos.

Las primeras imágenes que nos echamos a la cara eran de lomas grises cubiertas de espliegos y de pardos aliagares, solo el verde de las Cañadas animaba al optimismo.

No estaba ciego, ni mucho menos, la velocidad del auto no se pasaba en exceso de revoluciones, y a vista de acompañante divisaba claramente que los costerones de ambos lados de la carretera no solo no estaban labrados, sino que parecían parados desde hacía tiempo.

Por el Santo, ya no quedaba ni santo ni fincas que bendecir, seguramente las liebres que acaman entre las aliagas y los tomillos son ateas y las setas de cardo que salen al solecillo por estas fechas no son de su devoción. Visto lo visto, mejor dirigir la vista a otro lado.

Y mira por donde…, limpie la ventanilla del coche para asegurarme de que era cierto lo que veía. Era tan cierto como verde, todo el hondo estaba sembrado de punta a punta, desde la misma Colmenilla hasta el Pradohondero y más allá.

—¿Estaría delirando?

—Quía.

—Será cuestión de darme una vuelta en cuanto pueda y cerciorarme de si es error o no.

—¿Y si no lo fuera?

—¡Maldición!

—¿Y si sí?

Siendo pesimista, veo que todos aquellos costerones hacia el Monte están más muertos que parados.

Casi sin quererlo, en la cuesta del Santo el coche se desenfreno de tal manera que hasta las zarzas corrían más que nosotros y salvamos la alcantarilla de puro milagro y rozando la cuneta. Todo para nada, porque en cuanto empezamos a subir la cuesta del Cañuelo, el coche se cagó de miedo y por poco llegamos a destino.

Por la cantidad de cagarrutas que se esparcían por la carretera, el atajo debía ser por lo menos de quinientas reses o más. Si fueran tiempos de antaño ya estaría el caminero tirando de libreta y aplicando su multa.

Por aquellos tiempos hasta las carreteras más sencillas tenían su caminero correspondiente que se encargaba de tener en buen uso tanto el pavimento como cunetas y te-rraplenes. Y es que hoy, una vez eliminado los camineros, ya no se respeta nada, cada cual anda a sus anchas y hasta los ganados andan a gusto de careo y tira por donde quieras. Ya se perdieron los pasos que tenían reservados para paso de ganados y los saberes del oficio de pastores se han olvidado.

Cuanto más nos acercábamos al pueblo, más dudas se me iban almacenando en mi cabeza rapada de militroncho. Las conjunciones que yo hacía no tenían ninguna conclusión.

Llegamos al Collado.

—Bueno pues muchas gracias, ya hemos llegado.

—No hay de qué.

—Hasta la vista.

Supongo que reiterar las gracias sería más que suficiente pago, y más si se trataba de un militroncho escaso de pasta. Por aquí la gente se tiene de bien y a veces sacar unas pesetas, en según qué casos puede considerarse una ofensa y nunca mejor para llevar a cabo, pues un servidor andaba con los bolsillos llenos de agujeros.

—¡Sálveme decir quién era, ni de qué familia! Ni lo recuerdo, aunque por las personas que viven en el pueblo vecino y los coches que hay, no sería muy difícil dar con él.

Por el pueblo no andaba nadie.

Estaba solo, solo.

No había ni un pájaro que espantar, ni una urraca ni un cuervo que divisar, ni perro que ladrara mi presencia. Por no haber, no había ni humo en el cielo que aparentara señales de vida.

Y pensaba yo…

¿Con la cantidad de gorriones que se apelotonaban por estas fechas en las zarzas y en los cables alrededor del transformador?

—No puede ser.

—¿Se habrán ido?

Como aquel que no quiere reconocer la realidad, alargué mi mano a la primera piedra que se puso a tiro y la lancé hacia las zarzas que invadían la cuneta de la carretera.

¡¡¡Zas!!!

Nada de nada, apenas cayeron unas cuantas hojas secas que se habían olvidado de que era otoño.

Sin pensarlo dos veces, cogí mi petate al hombro donde guardaba un bocadillo de chorizo y unas mudas de emergencias y me dirigí camino a la casa de mis padres. Y menos mal que se me había ocurrido el echar el bocadillo, porque visto el panorama hasta fue un acierto.

Yo iba rumiando por mis adentros si es que no hubiera escogido el día más adecuado e incluso la fecha, tampoco era cuestión de exteriorizar nada pues por el momento todo eran oídos sordos. De todas formas, puesto ya allí que más daba, sería lo que dios quiera y desde luego los síntomas no parecían nada halagüeños.

No sé si fue por recordar mi niñez o por pura casualidad, el caso es que mis pasos se pararon a la altura de los árboles del tío Patricio. Estos ya no eran capaces de quitar la vista al Sestero, pues sus raquíticas y escasas ramas hacía tiempo que no recibían la savia de su tronco y a duras penas podían aguantarse y mantener el equilibrio. Eran media docena de olmos que se habían contagiado del mismo mal y al mismo tiempo estaban dispuestos a morir.

Mi curiosidad dio un ligero repaso visual al horizonte a semejanza de los viejos del lugar sin encontrar indicios de vida aparente, a no ser de unos jirones de humo que levitaban por encima de los tejados.

—Pensé yo, si fuera humo, hay lumbre, y si hay lumbre hay personas. Tal vez algún pastor o alguno que se ha olvidado de irse a la ciudad. Tal vez esté la gente por el campo o recluidos en casa.

Giré de exprofeso mi torso buscando alguna chimenea más del pueblo que me indicara que había señales de vida. Las presentes a mi vista me ratificaban lo que hacía rato iba presumiendo, las pocas casas alrededor presentaban unas puertas tapiadas de plásticos y tablas de madera.

Este pueblo no merecía esta situación. Era de puro abandono.

Aquellos años de los sesenta a los setenta, los 1965, fueron los peores que ha soportado este pequeño pueblo serrano. El total abandono y desapego de las raíces hizo que estuviera a punto de desaparecer.

Y mi respiración quedó cortada cuando mis ojos se fijaron en la Ermita de la Soledad. —¡Madre mía!, si no lo veo no lo creo, su tejado estaba hundido y su suerte echada. Ya no quería creer nada más, eran demasiadas cosas para tan poco rato que llevaba allí.

Cerré mis párpados. En realidad, bajé mi cabeza avergonzado de lo que estaba viendo y de mí mismo. Arrastre mi macuto calle adelante ante la mirada impasible de cientos de cardos que se balanceaban al viento que soplaba de la dehesa...

Casi no tenía valor para abrir la puerta de la casa de mis padres. La pesadumbre que me invadía era capaz de hacer que mis actos no tuvieran la coordinación necesaria para meter la llave en su sitio, mis manos temblaban de tal manera que eran incapaces de encontrar la llavera.

—¿Si no hubiera venido?

—Maldita la hora en que llegué.

—Porque tiene que ser así.

—Porque aquí en mi pueblo.

—¡Dios mío!

Seguía preguntándome…

—¿Por qué?

Estaba lleno de preguntas, lleno de rabia.

Solo ante la puerta, solo en la calle. Todo vacío, todo muerto.

Temblorosas mis manos apartaron unas costeras de madera y unos plásticos que servían de parapeto para que no entrara el agua de la lluvia y unas losas de piedra que hacían de contrafuerte de seguridad. A fin de cuentas, eran los únicos guardianes que durante la mayoría del año permanecía la casa cerrada.

Y no es que fuera cosa exclusiva a la casa de mis padres, la mayoría ni tenían llave ni gentes que se acordaran de dar vuelta.

Con agilidad de anciano pasado en años, logré enebrar a la tercera la llave en la cerradura. Los nervios que tantos deseos tenían de abrir me llevaron a dar más vueltas de la cuenta de un lado para otro sin saber dónde parar.

Empujé varias veces sin éxito a pesar de forzar casi al máximo de la prudencia. Volví a empezar de nuevo con las vueltas de rutina hasta asegurarme de que la cerradura debía estar desechada. Golpeé de arriba abajo, a izquierdas y a derechas, por si fuera falta de maña. Estaba seguro de que había dado las vueltas justas y hacia el lado correcto y aún se resistía.

Un golpe seco y definitivo, y la puerta se despegó de par en par como el que abre la boca con ansia.

¡Madre mía!

Una bocanada de olor musgoso salió de su interior disparado hacia la calle en busca de un aliento de aire puro. Esperé unos segundos a que pasara el primer fogonazo de humedad a viejo y habitué mis ojos a la penumbra que yacía dentro de la casa.

Tenía que hacer de tripas corazón y tenía que entrar dentro del salón hasta encontré la ventana del solano por donde entraba la luz y el calor a la casa. El mundo se abrió de golpe, el aire fresco y sano e inundó todo el habitáculo.

Repetí la misma operación ventana por ventana hasta que el aire contagió todos los rincones y se apoderó de toda la casa. El aire empezó a fluir por doquier reanimando y oxigenando el espacio, los rayos solares penetraron furiosos por las más diminutas rendijas, calentando y entonando el sombrío ambiente.

Poco a poco empezaba a encontrarme cómodo y a gusto en mi casa de siempre, sucia como era de esperar, pero no por eso menos acogedora. Lo que más me apenaba es que dentro de unas horas tendría que irme y dejarla abandonada de nuevo sin apenas tener tiempo de ventilarse y de revivir a la vida habitual de cualquier otra habitada.

Qué tiempos aquellos en que el pueblo resudaba vida, en aquellas calles llenas niños y niñas en edad escolar.

No me hacía a la idea de ver aquel salón tan bullicioso en años pasados en donde se reunían la mayoría de los hombres del pueblo en busca de unas horas de ocio, jugando al guiñote o discutiendo alguna que otra diferencia relacionada con el campo. De momento a mi vista había cuatro paredes repletas de sillas vacías y una ventana que en vez de escupir chufarreras de humo de los cigarrillos de tabaco, exhumaba humaredas de soledad y humedad.

En el mismo rincón de siempre, y siempre a punto para caldear el ambiente en cualquier fecha o necesidad estaba la estufa de leña, aletargada en estos momentos a la espera de que alguien se siente al lado a hacerle compañía. Tuve que buscarme unas buenas teas en la cuadra para conseguir que se pusiera en marcha, aprovechando los viejos **hornijos** carcomidos. Un largo rato le costó entrar en calor a pesar de la espectacular chufarrera de la chimenea.

En estos momentos me acordé de los famosos Hermanos Max. (Por poner unas gotas de humor).

—¡Más madera!

Yo seguía metiendo más madera.

Y más humo.

—¡Duro, ahí!

Aquello no había quien lo caldeara.

Y yo más madera.

¡Mas madera!

A pesar de que la chimenea echaba humo a bocanadas con síntomas casi alarmantes y la puerta de la calle permanecía abierta de par en par llamando a gritos una simple visita o un triste saludo. Pasaron unos largos minutos y lo único que se acercó fue un gato ambulante en busca de unas migajas de pan o de una ligera caricia.

Por pasar el tiempo, cogí una escoba pelona con rabo de caña de bambú que se escondía detrás de la puerta del cuarto del cernedor y me dispuse a repelar las telerañas que flotaban por el techo. Pronto me di cuenta de que me engañaba.

Estaba perdiendo el tiempo miserablemente, hasta tal punto que en vez de recoger las telerañas y los blancos escorchones desprendidos de las paredes.

Abandoné la idea con un par de toses profundas arrancadas desde lo más hondo de mi esófago. Tras escupir unos grumos como peladillas no tuve más remedio que salir a la calle a oxigenarme.

Entre airearse el polvo y orearse el ambiente pasaron alrededor de un par de horas en el que no se dio a ver a nadie, a no ser de un perro meio sarnoso y cojitranco que asomaba la jeta de vez en cuando por la esquina de la antigua sacristía y de un gato negro que parecía sestear entre los restos de las bocatejas de la casa de enfrente.

Mal presagio presuponía.

Aclarada ya un poco más la situación, opte por sacar el bocadillo del macuto y empezar a dar cuenta de él y recuperar un poco de energías. Estaba con el tercer mordisco cuando una sombra fugaz me pareció ver pasar por la ventana y oír el ruido de un auto.

No podía ser. Salí echando leches con la boca llena en busca de la realidad.

Nada de nada.

La única realidad la tenía entre los dientes y bien sujeto con las manos, el bocata, y no estaba dispuesto a dejarla pasar. Con el hambre que llevaba encima, aquel bocadillo me sabía a gloria y hasta ansia, y eso que por dentro no estaba lo que se dice muy agraciado de fiambre. Cada bocado era sin reparos ni al pan, ni al gusto.

Entre bocado y mascao pensaba…

—Si al menos hubiera un ¿qué tal?, tú por aquí, ¿cómo te va?

¡Que iluso!, una sonrisa fingida con una mueca absurda y hueca se me escapó de mi cara.

A todo esto, el bocadillo ya estaba a punto de acabarse. Me lo había ventilado con no más de diez o doce muecas y con migajas incluidas. No le había dado tiempo al paladar ni a adivinar su contenido.

Pasaba el rato…

El calorcillo de la estufa y la digestión del bocadillo hicieron que me quedara traspuesto unos instantes en el sofá. El sobresalto del sueño de que el pueblo había desaparecido me despertó de improviso. Rápido me dirigí a la ventana para confirmar la realidad. Hasta me asomé a la ventana a ver si era verdad.

Recompuse la estufa de leña a medio apurar, atascándola hasta las cachas para que el calor invadiera todo el salón. La chimenea seguía avisando sin cesar de haber llegado un nuevo inquilino al pueblo, y aun así que si quieres, nada de nada.

Sentía que el cuerpo me pedía salir y no tenía argumentos contrarios para negarme, además bien mirado hasta me convenía tomar un rato el aire puro para sanear mis pulmones.

—Si me tirara para allá.

—Si me bajara…

Mejor será que me vaya al alto del Castillo, que desde allí tendremos mucha mejor panorámica.

Salí dejando la puerta medio entornada por si se acercara alguien y viera que estaba habitada, además que tampoco se dejaba cerrar pues estaba hinchada de tanto tiempo cerrada.

Y a simple vista, pues pareciera que el pueblo estaba desaparecido. Por decir algo, la propia casa que tenía enfrente, donde un servidor nació y de unos tíos míos emigrados a Cataluña en los años sesenta y pico, estaba totalmente en ruinas y abandonada. Casas de nadie que pasaron a mejor vida, olvidadas de la historia y por sus dueños de manera lamentable.

—¿Quién diría que allí nació un servidor?

Fue propiedad de mis abuelos paternos y prestada por unos años a mis padres al poco de casarse hasta hacerse con una nueva residencia habitual.

Allí di yo mis primeros pasos y allí pasé mis primeros años de niñez. Unos pocos años de los que tengo vagos recuerdos de mi infancia. Por recordar, un corral apestado de gallinas y de gallinazas, una casilla con una cuadra con un par de **cortes** para los cochinos y un par de pesebres para alimentar a la **yunta** de animales.

Ya en la vivienda, un par de alcobas como dormitorios, una cámara con sus correspondientes atrojes, un cuarto dedicado a la tienda de ultramarinos y un salón que servía para el juego de guiñote, para tertulias, para escuchar **el parte** de la radio y el tiempo. De hecho, era usado como tasca, bar, circo eventual de títeres y como centro de subastas, compraventas y todo lo que se quiera añadir.

Allí se trapicheaba de cualquier asunto por variopinto que fuera, siempre y cuando hubiera unas pesetas a ganar, por intereses del astuto dueño que debía ser un artista en eso de saber acabar los **tratos** siempre con su correspondiente **alboroque**.

De alboroques recuerdo a cientos y en concreto de pocos. De porrones de vino y de copas de aguardientes y de alcarreño a miles. De tratos de cualquier cosa, mercancías o animales a montones. A pagar siempre el más beneficiado en el asunto y sino a medias, que por perdonar en ningún caso y más estando en el bar.

Por recordar de la tienda de ultramarinos, es seguro ver unas cubas gigantes de madera de donde se llenaban las garrafas de vino de medio pueblo y de unos bidones de hierro donde se guardaba el aceite, amén de unas panderetas de sardinas rancias y de una balanza de última generación con sus pesos correspondientes.

Mis primeros recuerdos se remontan a aquellos días en que mi madre nos dejaba encerrados en la alcoba con una onza de chocolate y un trozo de pan mientras ella se marchaba al campo a ayudar en las tareas agrícolas o en el cuidado del ganado.

Y si la memoria no me es infiel, debimos nacer allí cuatro de los cinco hermanos que somos y que con escasa edad nos trasladamos unos años después a la que sería la casa nueva donde mis padres siguieron con el asunto de la tienda y el bar y donde nació la última de los hermanos.

Por momentos prefería recordar las cosas buenas y abstraerme de la realidad.

Aquella casa donde había nacido estaba totalmente en ruinas y no permitía ni acercarse a recuperar algún recuerdo añorado.

Si no sirviera de ejemplo este caserón en medio del pueblo, podemos elegir al azar cualesquiera de otro lugar más periférico, si es que lo encontramos en pie, a medio caer e incluso ya desaparecido.

Es inútil buscar escusa alguna, casi todas las casas siguieron el mismo proceso de enfermedad y de degradación y la misma muerte, el abandono. Que la cuarentena de curación fue más o menos larga en el tiempo y la irreversibilidad en la enfermedad llevara al derrumbe.

Si hoy conservamos algunas de aquellas viejas casas, debemos dar gracias a Dios, la Virgen, a todos los Santos, a la diosa Fortuna y a aquellos emigrados que no pudieron resistir la tentación de volver a su lugar de nacimiento. Hoy podemos felicitarnos en nombre de todos, pues gracias a aquellos que quedaron en el pueblo y los que vinieron temporalmente hicieron posible que superviviera y en definitiva sirvió para que poco a poco se fueran incorporando nuevas gentes y con ello poder disfrutar de un pueblo mejor.

Eso es hoy, ya en el siglo XXI.

Porque ahora, es decir ayer, cuando te estoy contando la historia…

¡Vaya lio en que me he metido!

Por aquellos entonces, es decir ahora, todo seguía vacío y solo. El alma de la Iglesia estaba triste y sola, cerrada a cal y canto, sin maitines, octavas, novenas, ni misas ni rosarios.

Las calles seguían desiertas y vacías, no quedaba ocasión de limpiar ni las cagarrutas de las ovejas y cabras, ni los moñigos de aquellos animales de antaño que ya no existían ni en la imaginación. El viejo perro seguía merodeando por la calle de puerta en puerta sin olfato ni gusto que llevar a la boca, aunque fuera un trozo de tocino rancio.

Todas aquellas casas metidas entre callejones que apestaban de olor a tocino rancio, morcilla podrida, plumas y pelos chamuscados a través de los ventanucos de sus cocinas, ya no lloraban ni lágrimas de grasa, ni servían de reclamo a las moscas con sus desperdicios. Ya no hay puchero que huela a hueso, ni a caldo de gallina vieja, ni humo que haga tocar las campanas.

Aquel viejo perro se moriría sin saber lo que es abarrer un tazón y sin saber lo que es ladrar a las campanas.

Todo estaba muerto.

Yo solo.

La Iglesia sola, petrificada en el olvido.

El sol aburrido en el cielo.

La luna escondida entre nubes.

El olmo de la plaza agonizando.

Las chimeneas ciegas.

Los tejados desdentados y destruidos.

Las ventanas mudas sin cortinas que adornar.

Las puertas precintadas a perpetuidad.

Las viviendas muertas.

El cementerio solo.

El Portalillo desierto.

El Ayuntamiento callado.

Las calles vacías y huecas.

El perro vagabundo y abandonado.

El gato escondido tras la ventana.

Las casas solas y vacías.

Las sombras ombrías y heladas.

El aire lleno de dudas.

Las miradas perdidas en el infinito.

Y yo solo.

Seguramente mi imaginación era tan exagerada que me llevaba a reconocer la propia realidad. Aun así, el horizonte presente me daba la razón y si errado estuviera sería el primero en alegrarme.

Tal vez mis alucinaciones me llevaban a ser espejismos, como el de aquella furgoneta que cruzó la calle dando la vuelta a la procesión a todo pitido anunciando la venta de colchones, mantas, enseres de todo tipo a cambio de cualquier cosa de provecho. Y tal vez por ese mismo espejismo, o tal vez quizás por haberle saltado aquel gato negro desde la casa de la tía Juliana al pasar, y que saliera a toda pastilla olvidándose de megáfonos y demás historias en busca de mejor suerte.

Aún rebotaba el eco entre los callejones cuando ya volvía de Piqueras a Tordellego, exflechado y a toda pastilla, dejando maldiciones al paso de los pueblos. Ya que los pueblos estaban a punto agonizar, solo les faltaban estos tipos de dedicatorias. Con el tiempo volvió, vendió más colchones y hasta llenó las cunetas de la carretera de colchones viejos desahuciados de las viejas casas.

En aquellos momentos ya no había ni una docena de huevos que se pudieran permutar por unas onzas de chocolate, ni unas arrobas de patatas que permitieran tener una deuda donde satisfacer unos kilos de azúcar o unas sardinas arenques, ni lugar para el tenderete, ni feriante con el que regatear. Se había acabado el tiempo en que era necesario regatear hasta la saciedad e incluso hasta engañar para llegar a un acuerdo formal.

Qué tiempos aquellos en que la gente se arremolinaba alrededor de las furgonetas de turno en busca de unos metros de trapos con los que hacer cuatro sábanas, unos **refajos** o un par de calzoncillos donde esconder las miserias.

Todo a punto, la tienda con las puertas abiertas de par en par.

—Vendo, compro, cambio…

—¿A ver que llevas?

—Vean ustedes, vean.

—¿Y que nos ofrece el señor?

Los ojos del gentío ya tocaban la mercancía sin llegar a exponerla.

—Para los caballeros tenemos **piales** de lana, calzones marianos, pantalones de carrasca, alpargatas, camisas de tergal, **sarrianas**, camisetas de felpa, boinas, sombreros, zapatos de vestir, zapatillas de charol, abarcas, **botos** y tod lo que se necesite.

Por aquello de la imaginación, mientras unos se miraban de arriba abajo, algunos otros se miraban de abajo hacia arriba, viéndosen como estaban y como eran y como ideaban y como deberían ser cuando se vieran recompuestos con todas esas ropas al alcance. Y todo eso dependiendo de un dinero inexistente.

—¡Se acerquen señoras!

El charlatán había puesta extendida una gran colcha bordada en oro y grana, muy espectacular, que se la robaban con las miradas todas las mujeres que había a su alrededor. Él sabía de sobras que aquella no la podía vender por su coste elevado, pero le servía de reclamo en cada pueblo que paraba para que la gente se acercara y picara a comprar otros muchos artículos que llevaba.

Mientras la mujer acariciaba la colcha prohibida, el charlatán le ofrecía un loe de mantas por el precio de una unidad. Ella miraba al público pidiendo la venia y desistiendo de regatear a las primeras de cambio.

—¡Y de regalo una más!

Los más necesitados sabían que el cupo de la subasta estaba al límite de cerrarse y a pesar de esperar a las últimas ofertas para sacar mejor provecho, se podía adelantar otro a la operación y era cuestión de decidir entre unos cuantos para ponerse de acuerdo en el reparto del lote.

(Entiéndase por charlatán aquella persona que intenta mediante la palabra convencer y hasta engañar a las gentes en su propio interés)

Aquí donde yo estaba, mi imaginación no paraba de engañarme.

El espejismo no me dejaba ver ni una triste sábana, ni manta, ni colcha que me indicara unos indicios de vida en el pueblo. El gato seguía dormido en la cumbrera del tejado al sol y el perro vagabundo seguía paseando su agonía a escasos metros con gestos de sumisión a cualquier precio.

Era toda la vida que palpitaba en el ambiente. Yo estaba solo y alucinando.

Y pensaba…

En esta situación lo único que podía hacer era memorizar mi dicha y clavar en mi corazón la desdicha que estaba padeciendo. La solución que había salido a buscar a la calle la tenía más que demostrada. Aquel puzle tan complicado al que no le encontraba la manera de encajar las fichas lo iba a recomponer en un momento.

Mis apuntes dando la vuelta al pueblo iban sumando casas y casas casi todas en ruinas, abandonadas o tapiadas. No se habían salvado ni los gigantescos olmos que adornaban las plazas del pueblo.

En un momento me pareció oír hablar a una persona.

—Era cierto. ¡Dichoso de mí!

Por decir verdad, era la hija del tío Agustín que la había colocado por obligación como recepcionista del teléfono público para que el pueblo no quedara incomunicado con el exterior en casos de urgencias. Y gracias que lo había, que no muchos años antes, el que quería saber o comunicar algo a larga distancia lo tenía que hacer por carta o en su defecto por telegrama.

Y por aclarar, al ser menor de edad, no pasaba de poder estar en la casa y tener un poco de libertad para hablar gratis con el primero que cayera al hilo telefónico, que no eran muy abundantes y en algunos casos unos **pelmas** desagradecidos. Que en caso de tener que ir a avisar fuera del horario habitual, le podían recompensar con una peseta de cuatro reales o en su defecto con una gracia en forma de gracias.

Y es que por la edad que andaba, tan mala era la solución de irse del pueblo como de quedarse, y más si como era muy frecuente entre familias debía de cuidar de uno de sus progenitores ya viudo, avanzado en edad y ni con ganas de salir del pueblo. No cabe duda que aquella actividad debía ser tan frustrante como aburrida. Algo así como lo más parecido a una monja de clausura, encerrada todo el día dando conversación a una caja de madera como si fuera un confesionario.

—¡Hola, diga…!

—¡Adiós muy buenas!

Si es que hay alguien, allá que voy.

El saludo casi obligado no fue otro que el de…

—¡Que alegría, una persona por el pueblo!

El cuartillo donde vivía era de escasas dimensiones y llena de clavijas y cables por todos lados con apenas espacio para una estufa de leña y un par de sillas.

Ella se quedó mirando y — ¡vaya pelo que te han dejado!

—Ya ves, en la mili no andan con rodeos.

—¿Y cómo te has perdido por aquí?

—Pues simplemente por añoranza.

Mientras la operadora seguía enredada entre cables, sonó la puerta de la calle.

Sin esperar un instante espetó, el Fernando.

Vaya que sí. Acertó.

Asomó Fernando, el único mozo que había en el pueblo y el único que podía aparecer, vistas las circunstancias. Lo de mozo es más que relativo, porque aún iba a la escuela, pero como no había otro de edad parecida bien podía decirse como mozo. La Úrsula, como así se llamaba la hija del tío Agustín, también era la única moza que quedaba en el pueblo con edad parecida al recién visitante.

El Fernando iba a confesarse cada día hasta que se clausuró el confesionario, porque a la Ursula se la llevaron al pueblo del Pobo de Dueñas a la centralita, donde aparte de darle la vivienda gratis le ofrecían unos duros por los servicios prestados. Así que Fernando no tuvo otro remedio que para seguir confesándose tuviera que hacer las maletas e irse a hacer las américas. (Entiéndase, Cataluña)

Por estas fechas se juntaban en la escuela de las niñas entre mozos y mozas de menos de catorce años, zagales, parvulitos y demás, una media docena que era la cantidad mínima y necesaria para que la escuela permaneciera abierta y con su maestro correspondiente. La escuela de los niños ya había pasado a mejor vida.

La escuela era mixta, de ambos sexos y todos revueltos sin distinción de ninguna clase o edad y como estaba destinada a desaparecer por decreto, allí no se enseñaba ni la "o" con un canuto.

Y por decreto les engatusaron aquel último año de escuela una maestra más analfabeta que borracha. Es un decir porque su sabiduría no lo demostró nunca, pero su afición a la bebida daba cuenta cada día la cantidad de botellas de coñac que aparecían por la cuesta del tío Martín y en el basurero de las afueras del Collado.

Puedo dar fe, que yo lo vi. De aquella señorita Magariños, como decía llamarse, se podía escribir un capítulo entero de risa, que dejaría al mismísimo Arniches en ridículo con sus sainetes.

Era un personaje de tal calibre que tendría uno que buscar lo menos cien adjetivos en el diccionario para poder acertar en una definición acertada. Yo me remito a los que la conocieron y a los que tuvieron la suerte o desgracia de ir a la escuela esa temporada.

Un puto desastre.

No tarde en darme cuenta de que lo mejor que podía hacer era seguir aferrado a la silla y pasar el máximo rato posible en aquel lugar en compañía de los asistentes. En cualquier caso, no me quedaba otra alternativa para poder hablar con la gente.

Una cafetera que tenía sitio preferente en un hueco de la estufa, era una de las soluciones para aminorar el tiempo cada día. Y como aquel día éramos tres, casi que había que celebrarlo, así que añadimos unos refrescos con la compañía de unos frutos secos y unas patatas fritas.

Casi sin sentirlo se nos pasaron las horas sin parar de darle a la lengua. Estoy totalmente convencido que, a mi ansiedad por encontrar a persona alguna, se sumó la necesidad para ellos de que asomara alguien que viniera de fuera del pueblo y les contara cosas nuevas.

En aquello que intervino la posadera…

—¿Qué os parece si preparamos algo y ya cenamos?

—Por mi…

—Y por mi…

—Pues vamos a ver que tengo por ahí.

—Que con cualquier cosa hacemos.

—¿Unos huevos fritos?

—Pues unos huevos.

—Y si no son fritos, pues pasados por agua.

—Con que haya pan para mojar, sobra.

—¿Un par para cada uno?

—Marchando.

Uno preparaba la mesa, el otro buscando la sal y el pan y un servidor dando gracias por el recibimiento.

¡Redíos! ¿Quién iba a pensar esto hace unas horas?

Pensaba yo…

Y si esto era un fin de semana cualquiera de otoño, no quería pensar en un lunes, martes o un día cualquiera entre semana en pleno mes de invierno donde no apetece salir del establo ni a las mismísimas ovejas. Aquí no deben asomar ni las ratas.

Y si además de los pocos vecinos del pueblo, entre ellos existían diferencias más que suficientes para no relacionarse, pues ¡válgame dios!

—Que fulanito a labrado por aquí…

—Yo por allá.

—Que menganito se ha metido por allí…

—Yo por acá.

—Que si por aquí, lo jodes…

—Que se joda.

—Mira que luego dirán que a propósito…

—Pues que digan.

Puestos al caso, no cabía otra posibilidad más que pelearte o espabilarte. Así que el que más o menos se aplicó el razonamiento y terminaron todos espabilando y peleando. En realidad, eran unos cuantos vecinos que se repartían el término del pueblo a su antojo, haciendo de él un coto privado a su gusto y semejanza, sin reglas que respetar, a salvo de aquellas que beneficiaban al interesado y siempre con el consiguiente perjuicio para el vecino.

Y es que, en medio de esta caótica situación, el pueblo llega a extremos de aniquilamiento y de usurpación constante sin tener en cuenta a los verdaderos propietarios aún a sabiendas de su abandono y olvido.

Seguramente este pueblo durante su larga historia ha pasado por momentos fatídicos y dificultades, pero el punto de degradación social, constitucional y urbana protagonizada por sus propios vecinos en esta época es del todo casi insuperable. Tal vez en otras épocas pasadas, siglos XII o XVII, las guerras y las invasiones propias de la historia hayan sido cruentas, pero nunca siendo pensadas por un afán de auto destrucción de las propias gentes que conviven en el mismo lugar.

El acopio y la avaricia llega a extremos insospechados, con la resultante de enemistades entre los pocos vecinos existentes, incluso siendo del parentesco, campando cada uno a sus anchas por donde quiere y sin ni siquiera respetar la propiedad privada o municipal. El propio Ayuntamiento se convierte en el utensilio a usar para beneficiarse de asuntos propios.

La propia introducción de la mecanización agrícola hace que cada cual se haga con una hacienda propia, aun a sabiendas de estar pagando rentas más que baratas, ridículas, nulas o morosas. Se produce una concentración parcelaria a gusto y antojo del que más puede, dejando parados los piazos que no son rentables y explotando por cuatro chavos las cañadas u ollas de mejor tierra. Y todo esto con el ingrediente de unas subvenciones estatales de las que se ven beneficiados a costa de otros muchos dueños.

Y lo malo de todo esto, no es que se abolan los derechos y los deberes como ciudadanos y como vecinos, sino que se llegue a perder la ética y el escrúpulo de la misma persona.

Y no es que yo quiera abolir los derechos o las subvenciones de estos sufridos ganaderos y labradores del pueblo, muy al contrario, soy defensor de que mientras quede un solo vecino en el pueblo, quedara algo de vida y de esperanza, pero todos los derechos tienen sus deberes que cumplir, y si no van a la par, la anarquía se convierte en la forma más cómoda y sencilla de hacer lo que a cada uno le dé la gana.

Y mal asunto si esto prolifera.

En estos momentos, en los que yo estoy ahora, allá por los años setenta del siglo pasado, el panorama se presumía negro, negro. Eran los momentos de descomposición y desaparición del pueblo de Adobes.

Yo pensaba y pensaba, mejor haber venido en otro momento. Claro está que, si no hubiera sido así, tampoco hubiera dejado de volver a posteriori. No me arrepiento y además no te hubiera contado todo esto que estoy escribiendo para tu degustación. Y si no escribiera lo que te cuento, no me quedaría tranquilo.

Yo me quedo tranquilísimo. Este fin de semana que viene vuelvo al pueblo. Pa que te chinches.

Dicen que han salido unas setas
Que relucen como el sol
Que se esconden entre cardos
Y brillan con el aguazón.

Que Valdecatalina está lleno
La Esteva y el Hontarrón
En la Cordellera a surcos
Y hasta en el majadal del Morrón.

Que solo hay tres pa cogerlas
Y que se van de excursión
Y si hasta el viernes no vuelven
Hay que aprovechar la ocasión.

Con el regustillo de los huevos fritos y de las setas me bajé para casa a las tantas de la noche. Con el calorcillo de la estufa y con tanta avidez de palabrería, las horas habían pasado sin darse cuenta. El viejo perro seguía en las afueras del corral acurrucado entre las patas, una mirada de lástima me decía que no le importaba que me hiciera su dueño.

Habíamos hablado de tantas cosas y yo había sacado tantas conclusiones que no dudé un momento en coger de nuevo la silla que había dejado junto a la mesa y al intrigante puzle. De manera milagrosa las piezas empezaron a encajar como si lo hubiera hecho cincuenta mil veces. Los piazos coincidían con sus ribazones, con sus acequias y encaños y por otro lado hasta las casillas, pajares y zahúrdas se adosaban a sus respectivas casas sin ninguna anomalía.

A vista de ciego quedaba claro que la proporcionalidad de reparto de tierras de cultivo y de reses de ganado entre los vecinos del pueblo en los años cincuenta para atrás era equitativa salvo en raras excepciones. Equitativa, en cualquier caso, tanto para la pobreza como para la supervivencia.

Sobre los años setenta se rompe el equilibrio. Unos cuantos vecinos se van mecanizando con tractores y van absorbiendo poco a poco la tierra que van dejando los emigrantes hasta estabilizarse en un reparto entre cuatro o cinco familias.

Con los pocos datos que he podido recoger, he tenido que recurrir a la invención para poder crear algunas notas que te pueden ayudar a conocer como se vivía en aquellos tiempos.

EVOLUCIÓN DE LOS MEDIOS DE AGRICULTURA

	YUNTAS	CARROS	TRACTORES	SEGADORAS	AVENTADORAS
1950	40	2	0	0	0
1960	35	4	0	5	5
1965	25	6	0	10	15
1970	2	1	4	0	0
1980	0	0	5	0	0
1990	0	0	5	0	0

La nueva distribución desmantela por completo el pueblo, quedando allá por los años setenta y pico media docena de vecinos en edad de seguir cultivando la tierra y manteniendo unos atajos de ganado principalmente de ovejas, aunque se hace un experimento con el ganado vacuno que durará escasos años. Esta nueva distribución permite a los vecinos que quedan en el pueblo disfrutar de rentas per cápita exageradamente elevadas comparadas con las que se venían teniendo en años anteriores.

A toda esta configuración tenemos que añadir las subvenciones estatales y autonómicas que premian la estancia en los pueblos tanto en la agricultura como en la ganadería y que en muchos casos llegan a cubrir una nómina mínima anual e incluso se les conceden créditos a bajo precio o incluso a fondo perdido.

Observando estas cifras puede parecer ridículo, pero no olvidemos que estamos hablando de un pueblo minúsculo en todo.

En estas condiciones y con el fomento de los ayuntamientos para rehabilitar los servicios mínimos y básicos para la supervivencia se intenta retener al máximo de familias posibles en los pueblos y la crisis industrial y la baja especialización de la mano de obra hace que la rentabilidad de producción se debilite, agravado por el poco interés de formación de los nuevos inquilinos de las ciudades, primando el exceso de horas de trabajo que la especialización en los diversos gremios de la industria.

Todas estas circunstancias hacen que algunas familias se resistan a salir de los pueblos, manteniendo su antigua actividad agrícola o ganadera, o incluso buscando salidas alternativas de otros oficios. Curioso observar como una gran mayoría se declina por la albañilería por la facilidad de aprendizaje y la facilidad de ganar dinero debido al afán de rehabilitar las viejas casas abandonadas.

Y todos estos comentarios para ir pasando los años y presentarnos en los años ochenta sin apenas darnos cuenta.

La cosa seguía negra, negra de verdad. Ni las velas a las Patronas, Santa Cristina y la Virgen de la Cabeza daban síntomas de milagro, aunque por estas fechas no debían estar muy contentas de sus feligreses, pero tratando de Santa y Virgen, siempre queda la esperanza de su buen corazón y más sabiendo de las penalidades que tuvieron que pasar antaño y de las que estaban pasando ahora en sus nuevos destinos.

Aun retumban aquellas palabras junto al árbol de la iglesia y que traspasaban los umbrales de la puerta de aquel padre cargado de hijos sin edad de trabajar.

—¡Aquí no hay quien aguante más!

—¡Esto es lo último!

—¡Estamos abandonados de la mano de Dios!

Era la rabia, desesperación y la impotencia de un hijo del pueblo que se veía abocado a tener que hacer las maletas sin un destino cierto. Era el principio de una aventura por sobrevivir.

Eran preguntas sin respuestas.

Era, un sea lo que Dios quiera.

Era un camino desconocido y pedregoso por andar, lleno de oscuros túneles sin salidas, con referencias que presagiaban malos tiempos y peores años futuros para la nueva generación. Aquello fue el éxodo de un pueblo en busca de una tierra prometida, una tierra conquistada y civilizada de antemano por la revolución industrial.

Y muchos se fueron.

La mayoría.

Y algunos volvieron al cabo de unos meses y se volvieron a marchar.

Y unos pocos volvieron a venir. Unos de vacaciones, otros por añoranza, otros por dar vuelta a la casa, otros ni se sabe porque, otros…

Y entre idas y venidas pasaron unos años de indecisiones. Y entre las dudas pudieron comprobar que, en la gran ciudad, ni era oro todo lo que relucía, ni ataban los perros con longanizas. —Que si me apuras es más fácil encontrar oro en el Villarejo que en las ciudades, y hasta puede que los perros en el pueblo hayan comido algún trozo de longaniza aunque haya sido a base de "quito y corro".

Y a todo esto los nuevos nietos, ya con uso de razón, preguntaban a sus abuelos y a sus padres del porqué de ese origen desconocido, de sus raíces y del porqué de tantas circunstancias en tan poco tiempo.

—¿Y porque yo aquí? —Se preguntaba.

—¿Y si yo soy una circunstancia más?

—Y si…

Como la ciudad es propensa a la cábala de libertad, se crea un ambiente de identificación de las raíces de uno mismo, a la vez que aumenta la nostalgia por conocer el hábitat de sus antepasados, llevando a un deseo de salir de ella en busca de reencontrarse e identificarse con el pasado.

Y mira por donde ocurrió un hecho histórico, el nacimiento del auto "seiscientos". Es un decir, porque de coches ya corrían por las carreteras a montones, pero ninguno podría representar una época como este. Es la gran explosión de libertad para las gentes y para poder salir de las grandes ciudades.

El Seiscientos fue la imagen de la postguerra y de la libertad.

Aun quiero recordar como si fuera ayer aquellas excursiones en temporada estival en que los autobuses y autocares se apestaban de gentes de nuestros pueblos cargados de maletas y de enseres de todo tipo en busca de unos días de descanso. Mis pupilas aun quieren ver aquellos diminutos coches correr con las bacas atascadas de somieres, colchones, mesas, sillas, etc, en busca de encontrar una destartalada casa donde rehacer una pizca de libertad.

Fueron los primeros coletazos de trashumancia humana que se dieron por finales de los setenta y pico (1975) de las gentes de los pueblos. Era a fin de cuentas el primer chispazo que encendía la llama de la esperanza para este pequeño pueblo serrano.

La intranquilidad del abandono y la búsqueda del legado de identidad fueron determinantes en la vuelta de la gente al pueblo temporalmente, arrastrando una nueva generación de hijos con ansias de conocimientos de sus antiguas raíces.

Y fue esa segunda generación, aquellos que emigraron más jóvenes y más conocedores de la ciudad, los primeros en darse cuenta de las necesidades básicas para poder vivir en el pueblo. Una vez concienciados se ponen a trabajar y a tomar las primeras medidas e iniciativas de manera casi esporádica.

Por aquí andarían metidos unos cuantos cabecillas. Aquellos que siempre se habían tratado de listillos por sus adversarios de turno y que gracias a ellos y a su empeño este pequeño pueblo pudo salvarse a pesar de la oposición de los propios vecinos existentes.

Una de las primeras batallas y la más cruenta, sin sangre que se derramara, fue conseguir la normalización de las instituciones, corrompidas en exceso y faltas de cualquier rigor democrático. Por aquí tuvo mucho que ver la creación de la Asociación que hasta cierto punto suplantó y arrebató el poder al Ayuntamiento, que navegaba de desaguisado en desaguisado, dando un golpe de timón y reconduciendo la situación.

En apenas un año de su creación lograron que la mayoría de la gente se uniera a la causa, incluso personas aparentemente perjudicadas.

Había pasado el tiempo, era el mes de julio y ya andaba gente por el pueblo. La gente era la justa para poder decir que el pueblo estaba habitado. Eran unas mujeres separadas de sus maridos temporalmente con sus respectivos chavales ya de vacaciones del cole y que habían traído a los abuelos a expensas de que le den unas vacaciones de "rodríguez" hasta recomponer nuevamente la familia para las fiestas.

Conforme empezaba a calentar el sol, la plaza del Portalillo se llenaba de vida. Las primeras bicicletas correteaban molestando a los ancianos dando vueltas alrededor de ellos con la intención de poder arrascar unos durillos con los que comprar unas golosinas en el bar.

Los más impacientes ya miraban el reloj y no quitaban la vista al callejón por donde debía asomar el maestro de ceremonias. La otrora escuela de las niñas dejó de tener libros y tizas en sus pupitres y se pasó a dar clases de guiñote, tute y similares. Aquella escuela, hoy bar social, se había convertido en santuario para la mayoría gente del pueblo.

—Que ya voy.

—Ya pasa de la hora.

Andaban medio discutiendo cuando…

—Pi, pi, piiiii, pi, …

Una camioneta.

—¿Vamos a ver que lleva?

El insistente pitido del camión rompió la monotonía y la conversación. El que más y el que menos se escabulló lo más aprisa que pudo para poder ver la mercancía que traía y por si convenía coger su respectiva tanda para comprar.

El encargado del bar no era hombre de muchos rezos, pero aun así se le notaba que desde que abrió iba rezando si parar el rosario, y para empezar a rezar a estas horas de la mañana es porque de antemano ya sabía lo que le esperaba.

—¿A ver qué vais a tomar?

—Dos cortados y dos poleos.

—Vaya negocio, espetó.

El sacristán que oficializaba en el bar recitaba la letanía tan bajo que se le entendía todo. Los viejos que esperaban los tapetes y las barajas para iniciar el juego recitaban en silencio y a la vez "ora pro novis".

El que murmuraba, para cuatro duros de na.

—Ora pro nobis.

—Y pa una fanta.

—Ora pro nobis.

—Y para una piruleta.

—Ora pro nobis.

—Pa…

—Ora pro nobis.

—Me avisáis cuando acabéis.

—Amén.

El oficiante acabó el rosario y sus letanías repartiendo un par de bolsas de pipas entre los chavales que habían conseguido sisar a sus abuelos unos durillos de la mesa de juego.

—¿Vais a querer algo más?

—Luego.

—Pues me voy.

—Hasta luego, ya te cuidamos el bar.

Y se fue rezando y rezando.

Fuera por el Portalillo se asentaban algunos viejos más que no entraban al bar porque eso suponía beber y por lo tanto pagar, y dado el caso la mayoría andaban con el tema del colesterol o con los bolsillos rotos, así que mejor quedarse al sol, sentados en la barbacana. Según decían, cada uno contaba lo que sabía, que si fulanito vendrá mañana, que si menganito está muy jodido y que el otro ya no lo traerán.

—Que le han dicho los médicos que de esta ya no sale.

—Y que si viene es para quedarse aquí.

—Y tanto.

—Dicen que han preparado unos nidos en el cementerio.

—Se llaman nichos, aunque qué más da como se llamen.

Había uno entre ellos que las cazaba a medias y siempre que el aire le fuera a favor, así que a todo asentía y sonreía con tal de quedar bien. Y mira por dónde le llegó la onda y…

—Pues a mí cuando me muera quiero que me traigan al pueblo a enterrarme.

—Después de muerto qué más da. Y será si quieren.

—Ya lo saben de sobras.

—Total, para criar malvas, qué más da.

—¡Joder! ni que costara tanto hacer un hoyo.

—Pues si es invierno y con nieve, no sé quién te lo va a hacer.

—¡Coño! unos cuantos he hecho yo.

—Pero si no queda gente en invierno.

—Alguien habrá.

—Por si acaso, muérete en el verano que al menos tendrás quien te haga el hoyo y el acompañamiento.

—Y que toquen las campanas como dios manda.

—¿Y qué más?

—Nada más.

—Sabes qué, mejor que dejemos este asunto no vaya a ser que…

—Que esto huele a muerto.

Se miraron unos a otros como queriendo saber a quién le iba a tocar primero, y como el que sale huyendo de la muerte, se separaron cada cual por su callejón en busca de casa.

El que insistía en que lo llevaran a enterrar al pueblo y con toques de campanas incluidos, seguía medio delirando el solo en medio del Portalillo pensando si elegir la fecha del verano.

A fin de cuentas, cada uno mataba el tiempo como podía a espera que llegara mediodía y sonara el pitido de la furgoneta del reparto del pan. Entonces resucitaban todos de golpe y afloraban las bolsas por doquier. Todo el mundo aliviaba lo más que podía aún a sabiendas de que había pan para todos y con su cupo correspondiente. Los más impacientes excusaban sus prisas por aquello de si llevaba algunos mantecados o madalenas.

La lista del panadero cada día se alargaba en unas cuantas barras más con los que iban llegando al pueblo. Las viejas cortinas de las casas ya empezaban a dejarse ver, reivindicando tiempos pasados, a la vez que sombreros, viseras y gorras se multiplicaban en las calles al son de calienta el sol.

El hormigueo de chavales no paraba de dar vueltas a la "procesión" y otros muchos rondaban por el Collado por si apareciera algún familiar o incluso sus mismos padres. Son días en que la carretera anda atropellada de tráfico y el peligro tienta en la curva más inesperada.

Razón llevaba el viejo cuando no paraba de avisar a su nieto, ¡ojo! Mucho ojito.

—Va —le contestó, y salió a toda pastilla con su bicicleta.

—Verás cómo nos fastidia las vacaciones.

El puto chaval lo hizo a propio intento y no se llevó la esquina de la casa de puro milagro. La razón del abuelo estaba más que clara y con echar una simple ojeada a la chavalería, viendo que la mayoría estaban medio lisiados de piernas y brazos de dar compliguetas con las bicicletas.

Cada dos días uno a Teruel. Entre los chichones, moratones y puntos de sutura podrían muy bien llegar a medio centenar. Según los médicos del Hospital Padre Polanco de Teruel el incremento de hilo para suturar heridas y de yesos para escayolas se multiplicaban por cientos a causa de las caídas de bicis, cogidas de vaquillas y tropezones de viejos y abuelos.

Un pitido volvió a llamar la atención del personal.

—Creo que ha venido fulanito.

—Y menganito.

El mesero y encargado del bar estaba harto de oír cantar "cuarentas, veintes y tutes" y de no abrir las neveras. Tan poco se usaban que cuanto pedían alguna cerveza estaba medio congelada de permanecer inmóviles. El aburrimiento del camarero se tenía que despertar casi exclusivamente cuando a algún perro le daba por asomar el morro por la puerta del bar.

Poco a poco y día tras día, las calles iban cogiendo un poco de lustre y hasta el pueblo tomaba apariencia de ser habitable.

Había una ventana que llevaba oliendo a puchero hacía varias semanas y hoy rezumaba por lo menos el tripe. Como a dos palmos de la ventana, como si hubiera olido el perfume, se paró un coche cargado hasta las cachas de maletas y de bultos. Por la hora que era debían llevar hambre y ni cortos ni perezosos decidieron apearse en el mismo lugar.

Las cortinas se abrieron de par en par espantadas por el ruido del coche y en seguida empezaron los besos y abrazos. La familia era muy larga y tardaron varios minutos en acabar de abalanzarse unos a otros. Hasta tuvieron suerte porque fueron a parar en la ventana donde salía el apetitoso tufillo y al conductor le iba de perlas tras varias horas al volante.

—¡Vaya como huele!

—En realidad hay unos garbanzos con unos huesos de jamón viejo.

—Pues casi, que, si está a punto la comida, dejo la descarga de las maletas para después.

Tuvieron que aguantarse las ganas porque dentro del coche iban unas bolsas de pescado fresco que estaba a punto de expirar su caducidad y reclamaba con urgencia su lugar en la nevera.

—Aligerar que la mesa ya está puesta.

Cada maleta que entraba al portal más aumentaba el apetito.

—¿Os queda mucho?

—Un santiamén.

El nieto, mejor dicho, el hijo, apareció volando con la bicicleta sin respetar ni gallinas, ni perros que se pusieron por delante. Llevaba varias semanas con los abuelos y con tanta libertad ya casi se había olvidado de los padres. Un abrazo del chaval y la mesa recompuesta al completo.

Por merecer, aquella olla a presión que venía embalada en su caja original para que la abuela pudiera hacer el cocido en menos que canta un gallo.

Andaban los pucheros y las ollas por el **basar** medio mosqueados mirando la caja, cuando un chasquido del precinto saltó y asomó la testera la reluciente olla. Todos temblaron de asombro y a punto estuvieron de venirse abajo si no es porque la abuela salió en su defensa.

—Y para qué, si yo con mis viejos pucheros me apaño.

—Ya verás cuando la pruebes.

—Y ya verás cuando pruebe el cocido tu marido.

El animoso marido asintió con la cabeza a la vez que se echaba un buen jetazo de vino. La abuela insistía en que había que acabar con el cocido y la esposa no se quedaba a la zaga a pesar de estar acostumbrada a comer y a hablar a la vez.

Aquel triste y abúlico chiquillo de la capital era la primera vez que había caído por el pueblo y en escasos días que llevaba ya no paraba en casa. Apenas dio por acabado el plato y salió con el pan en la mano en busca de la calle y hasta se olvidaba de que sus padres acababan de llegar.

Su bicicleta se había hecho amiga de las de otros chavales de parecida edad y lugares como el Portalillo, el Trinquete o el Cerro se los conocían de memoria. Ya no le hacía falta que el abuelo le enseñara por donde quedaba el Cañuelo, el Espinar o las piedras de los Barrenos, pues estaba empezando a descubrir la verdadera libertad y ni pensaba que un día tendría que volver de nuevo a la ciudad.

Los mismos padres quedaban absortos del cambio.

—¿Pero qué le habéis hecho al chiquillo?

—Eso debe ser el aire.

Sabido es que por aquí sopla el aire y del bueno. De momento en el pueblo soplaba a favor y cada día se veía que cada vez se levantaban más persianas en las ventanas. El pueblo estaba resucitando. Las colas del pan se alargaban dos o tres pasos más cada día y las madalenas y los mantecados ya casi se rifaban.

El censo aumentaba alarmantemente.

El agua empezaba a escasear en los grifos.

El Cañuelo recordaba los años sesenta y setenta.

El frutero se peleaba con las clientes para mantener la cola.

Las mujeres con el carnicero.

Todos con las tandas.

Yo con tú.

Tú con mí.

La actividad por las casas se multiplicaba.

—¿Que si tienes sal?

—¿Que si azúcar?

—¿Que si aceite y pimienta?

—¿Que si ajo y perejil?

—¿Y para qué…?

—Eso no se pregunta… para hacer unas chuletillas.

La gente andaba medio modorra…

—¿Que si tienes huevos?

—Eso no se pregunta.

—Que ya te los devolveré.

Los había de to…

—Unos que comían sin pan.

—Otros con pan duro.

—Algunos que están a dieta.

—Otros a dieta sin querer.

Cosas de los pueblos sin servicios.

Mejor acostumbrarse a lo imprescindible que no a lo necesario.

Que si por querer fuera y en este pueblo, hay tan pocas cosas que aun quejándose la gente, sobra casi todo.

Cada cual tiene que buscárselas por donde puede y más de uno tiene que poner los pies en polvorosa hacia los pueblos cercanos e incluso al mismo Molina o Teruel.

Las furgonetas de venta ambulante cada vez frecuentan más por estas fechas los pueblos de la serranía con tal de vencer más y más caro. Por venir, ya se comprometen hasta en un día fijo con tal que la clientela les sea fiel. Que la temporada es más bien corta y demás saben estos especialistas tenderos que a la hora de la necesidad no se mira una peseta con tal de arrebatárselo a la vecina.

Hasta por coger un sitio en el centro del pueblo y a poder ser a la sombra, más de una vez casi tenían que llegar a las manos e incluso tener que pelear con los jovenzuelos por usurpar el lugar del trinquete.

La tanda del pan no se entendía con la de la fruta, y el pitido de una nueva camioneta desconcertaba a todos. Quien diría que en un pueblo tan pequeño se encontrara con su misma competencia. El mundo ambulante tiene esas cosas.

Hasta el mismo local social, entiéndase bar, en apenas unos días casi tenía que poner el cartel de completo por el exceso de aforo a la hora de echar unas partidas de guiñote o tute. Las cuatro o cinco mesas se habían convertido en una docena al tener que habilitar la antigua escuela de los muchachos para dar cabida al personal y la escasez de sillas obligaba a ser espectadores de pie a más de un mirón.

El sacristán de turno, mesero o camarero del bar cantaba de alegría repartiendo su letanía de cervezas y de refrescos por doquier. Los puñetazos en las mesas cada vez se hacían más fuertes y con más frecuencia, evidenciando que la cosa iba en serio y que la honra estaba por encima de la consumición.

Aquello iba viento en popa.

—¡Marchando una de almejas!

A veces a algunos se les escapaban peticiones inusitadas. ¿A quién se le ocurre pedir almejas en Adobes?

Dicen que había un ambientazo…

Aquel fin de semana del mes de agosto fue el colmo. Los coches se apretujaban en los estrechos callejones del pueblo como si se celebrara una fiesta. A más de uno le parecía mentira que pudiera haber acudido tanta gente. Todos se preguntaban lo mismo y todos por el mismo motivo.

Y es que el motivo era que el segundo sábado de agosto se celebraba la fiesta patronal de Santa Cristina, y cayendo en tales fechas a más de uno le volvió la devoción. Que no es que fuera pura casualidad el que viniera tanta gente a salvo de unos pocos, sino la casualidad de la necesidad de volver a visitar el pueblo y disfrutar unos días de descanso con antiguos vecinos y amigos de la infancia.

Y muchos más motivos debían de haber, porque hacía unos años que la antigua fiesta de Santa Cristina se había perdido en celebraciones vanas.

Aquellas fechas de antaño de primeros de septiembre que tan ajustadas estaban al fin de la recolección en tiempos pasados, no estaban en consonancia con la actual situación de vacaciones obligadas en el mes de agosto para la mayoría de los hijos del pueblo, allende por las ciudades.

El cambio de fechas no ofrecía dudas algunas, pero si inconvenientes. Si en un principio se estableció a mediados del mes de agosto, alrededor del quince, tuvo que cambiarse al coincidir con las de los pueblos más próximos del contorno, llámense Piqueras, Tordellego o Tordesilos.

Y más que inconveniente era un obstáculo que parte de los vecinos residentes en el pueblo que se oponían al coincidir de pleno con las labores de la cosecha del cereal, sintiendosen ellos los únicos y legítimos feligreses de dicha fiesta, y más si como era previsible pasaba de ser inminentemente religiosa a casi totalmente lúdica.

Al fin, el entendimiento y el buen hacer de un par de años fueron suficientes para dar el visto bueno al cambio y quedar perpetuada y normalizada la nueva fiesta.

Tal vez esta celebración no sea la única excusa para que los hijos del pueblo vuelvan a él, pero sí la más importante y la más arraigada. Puede que fuese casualidad el que aquel año se adelantaran algunos jubilados y más de una madre con sus hijos pequeños allá por el mes de julio, e incluso antes, y puede ser que más de uno aguantara hasta la entrada del otoño. Parece que las casualidades se repetían, aunque mucho me temo que esa misma casualidad sea una causa más que justificada.

El hecho es que a partir de entonces el que más y el que menos busca cualquier excusa para volver en cuanto puede, si es que no se crea alguna que otra obligación que le libere de la gran ciudad. Y puestos a ser realistas, tal situación lo único que ha hecho ha sido que este pequeño pueblo serrano se haya cambiado y renovado, creando en el ánimo de la gente una sensación de esperanza y de futuro.

—¿Que lejos de aquellos tiempos? Casi me dan ganas de volver atrás en el tiempo.

—¡Madre mía! ¿Quién ha visto este pueblo y quién te ve?

Por aquellos entonces ya casi ni tocaban las campanas. La campana grande se hallaba enquistada en su yugo y no había quien la moviera y la pequeña desde que murió el tío Pedrillo lo hacía con más desgana que otra cosa. La iglesia lloraba a lágrima viva por la multitud de rendijas que se habían hecho en su tejado y las goteras llegaban a empapar a la misma Virgen.

Todo era una ristra de miseria, abandono y vergüenza.

Casi lo recuerdo como si fuera ahora. La cantidad de baleas que tenían que salir en las fiestas para limpiar las cagarrutas de las cabras para que pudiera desfilar dignamente la Virgen por la calle de las procesiones.

—¿Y esto se lo merecía mi pueblo?

—¿Y sus gentes?

—Tal vez…

—O no.

Y pasó la procesión.

Acabó la misa.

Siguió la fiesta.

Y tocaron Perico y la Tomasa.

Y los de Villarquemado.

Pasó la fiesta y las resacas.

Y el ánimo se recuperó.

Pasó el tiempo y más.

Y la gente pensó.

Y no sigo contando más, porque de mases no acabaría.

—Yo cuento lo que viví, disfruté, sufrí y padecí.

Por aquellos años setenta (1970) la cosa ya se veía venir. La cosa no funcionaba como debía y se presentaba mal panorama. El pueblo de Adobes se deshabitaba sin remedio.

Mal asunto.

Pasaba el tiempo…

Y la gente pensó.

Y pensó.

Y unos cuantos, los "tontifacios y abundios" de siempre jamás ya se cruzaban palabras de que "tal y pascual" y que cosa se podía hacer.

La mayoría lo veía bien. Los corrillos informales también lo veían bien. Los negacionistas, como siempre, regular tirando a mal.

Estaba claro que, para levantar el pueblo, mejor juntar que separar.

Al final… ¡Alea jacta est!

¡Aleluya!

Nunca en un pueblo como Adobes se había visto tanta gente "tontifacia" y tan "abundia". Y todo por el orgullo de un pueblo y de unas gentes dignas del máximo respeto.

Como resulta que por aquel tiempo andaba de Alcalde un tal, (mejor me callo, y por sus obras lo conoceréis) y aprovechando el periodo de cambio de transición que estaba en la política española, se sucedieron una serie de subvenciones para la ayuda de los pueblos pequeños, basadas más en la astucia de los secretarios y de los alcaldes que del interés popular, inundando las calles de cemento y de otras atrocidades.

Seguro que esos chavalines que andan dando vueltas con sus bicicletas por la calle Procesiones lo encuentran ideal para su disfrute, pero a muchos de nosotros no se nos olvidan aquellas escaleras que daban acceso a la puerta de la Iglesia y a la Casa Consistorial, ni de aquel empedrado de bolos del cementerio donde jugábamos de niños al salir en los recreos de la escuela.

Ahora que recuerdo y hablando de cemento…

¡Cataplom!

—Me caguen la…

—¿Qué te ha pasado?

—¡La madre que parió al cemento!

Otro que andaba con el oído al alcance…

—Otro que ha cogido una rabona.

—Vaya talegazo que se ha pegado.

—Yo ya llevo tres en lo que va de invierno.

—A quien se le ocurriría tal barbaridad, echar cemento en la subida.

Nunca se llegará a saber el número de rabonas que se han cazado en dicho lugar, porque la mayoría se han cogido en secreto y muchas de ellas en tiempo de veda. Que pueden pasar de decenas es más que seguro y que la mayoría acaban en la bajada de la antigua sacristía, es más que cierto. Puedo asegurar que hasta yendo con cuidado para no levantarlas, saltan cuando menos piensas.

Amigo lector, seguro que andas pensando que es eso de la "rabona", pues se trata de cazar una liebre, algo muy habitual y necesario para equilibrar la dieta familiar. En este caso era una desgracia y más si se trataba de un tozolón en invierno y con hielo.

El que un servidor se tome la licencia de catalogar de chapuza una cosa, no debería tener más importancia, pues al fin y al cabo debo de ser de los menos indicados para ello por mi desconocimiento del tema, pero no deja de ser un apelativo cariñoso si lo comparamos con la apreciación de otros muchos entendidos en la materia y que lo consideran aberrante.

Para mí, que no para otros, chapuza puede considerarse la reforma de la Casa Consistorial, donde se metieron tantas horas en jornales que al hacer cuentas los días tenían que ser de cuarenta y ocho horas y el año de quince meses. Cuando fueron a echar el tejado, las vigas eran cortas y se tuvo que detener la obra.

Y si la gente de este pueblo hizo algo bien, fue ponerse en contra de la chapuza de los paletas y arquitecto y lanzarse a salvar el edificio, aún a costa de muchos días de vacaciones y de zofras.

Aquellas vacaciones del mes de agosto se convirtieron en una zofra continuada, haciendo cada uno lo que podía y lo que sabía. Nunca en este pueblo ha habido tanta gente disponible y con tantas ganas de trabajar.

Que por recordar… a más de uno le queda cicatriz o chichón en la cabeza de tan venturoso acontecimiento.

Yo o tú, recordamos haber sido unos "tontifacios". Aquel día que hicimos de equilibristas en los tablones del andamio y una de las ventanas se nos venía encima. Como las alturas no era nuestra especialidad, pronto decidimos bajar al suelo y apropiarnos de la hormigonera.

La obra no es que quedara mal, lo que pasa es que, con tanta gente novata e inexperta, pero las fechas de la fiesta apremiaban y se quedó a medias de acabar, pero asegurada. Y aquel año la fiesta se celebró a lo grande y por todo lo alto y hasta con una gran exposición de maquinaria y materiales de construcción.

—Quien lo ha visto y quién lo vio.

—Qué tiempos aquellos.

Fueron tantos los que colaboramos que sería imposible hacer una placa de agradecimientos para todos ellos. Y eran más que bastantes los que se sumaron sin ser hijos directos del pueblo, que sin comerlo ni guisarlo se vieron inmersos en la problemática que se llevaba en marcha. Muy pocos escurrieron el bulto, y si alguno lo hizo en ese momento, con el tiempo se ha dado cuenta que valía la pena el esfuerzo realizado.

La iniciativa de unos cuantos en rehabilitar sus antiguas casas hizo que se produjera una eufórica reacción en cadena en imitarlos, llegando en ese afán de superación incluso a la construcción de nuevas viviendas, aprovechando los antiguos solares y corrales ya existentes o tirando las casas viejas para ganar nuevos espacios.

Y todo este movimiento en la gente del pueblo llevó a crear unas obligaciones de tener que volver cada cierto tiempo a vigilar las propiedades, no solo ya en época estival o de vacaciones, sino en otras muchas ocasiones, bien para vigilar las obras o una vez terminadas para disfrutarlas.

Hoy en día, en el siglo XXI ya avanzado, es habitual encontrar en cualquier fin de semana familias que llegan a descansar huyendo de la gran ciudad.

Y es que perderse por aquí es perderse de verdad.

—Me rio yo cuando te dicen… ¿cómo te has perdido por aquí?

—Pues mira…

Si digo verdad, no hay que buscar ninguna justificación. Uno se pierde y punto. No hay mejor manera de perderse que la de saber uno donde va, hasta con los ojos vendados.

A veces no encontrar nada, es disfrutar de la libertad.

Y se fueron sucediendo los años, las primaveras y los otoños. Llegaron nuevos meses de agosto y nuevas fiestas patronales con iniciativas nuevas, y volvieron los de siempre y algunos más. Y se añadieron nuevos acompañantes a los hijos del pueblo, amigos, conocidos y cada vez más.

El pueblo se seguía arreglando y recuperando poco a poco. Las mejoras empezaban a notarse en las calles, en las casas, en el ambiente popular y cada vez más en las esperanzas de la gente.

Y aumentaron las bicicletas en el verano y con ellas los chiquillos.

Y crecieron estos chavales y se convirtieron en mozalbetes.

El pueblo seguía mejorando.

Aparecieron nuevos noviazgos, las parejas, los apaños, los divorcios, las separaciones, y hasta un par de bodas y cuatro bautizos.

Nuevos hijos del pueblo.

Más bicicletas, más coches, más problemas, más basura, más soluciones, más gente, menos agua, más problemas, más jubilados, más viejos, más chavales, más servicios, más ruido, más y más y más.

El pequeño pueblo de Adobes se parecía a un pueblo de verdad. El optimismo y la alegría se palpaba a nivel de calle.

Pasaba el tiempo…

Y brotaron los rosales, arraigaron sauces, olmos, acacias, pinos y crecieron los chopos, florecieron los jardines y retoñaron las matas de espliego, de hierbabuena, de sándalo, romero y desaparecieron los cardos y las malas hierbas, brotaron las rosas, las margaritas, las dalias, los periquitos y siguieron creciendo más árboles y más. La ilusión de todo un pueblo se desparramó como sarmientos de parra a la entrada de la primavera.

Y todo a costa de unos años dorados, la década de los ochenta y noventa, hechos a base de empecinamiento, de ilusión, de esperanza y de sufrimiento. Dos décadas tan inolvidables como imprescindibles para el devenir de este pequeño y sencillo pueblo serrano.

No conviene olvidar que estamos lejos de la capital Guadalajara y la distancia y la burocracia no ayudan a resolver las cosas.

Tanta esperanza, como la de aquel anciano enfermo que cuando salió del pueblo de regreso a la ciudad solo pedía un poco de tierra en el cementerio de su pueblo para poder descansar en paz con los suyos y tanta ilusión como la de aquel nieto que esperaba sus notas del colegio para reclamarle a sus padres la promesa de volver de nuevo de vacaciones a su pueblo querido.

La generación hoy involucrada, y me refiero a las décadas antes citadas, ha cumplido de sobras la misión pretendida.

¡Córteme Dios el gaznate si no digo verdad!

Que este pueblo ha conseguido, proporcionalmente a su tamaño, más subvenciones que otros muchos, es cierto, verídico y real. Y que está al alcance del más tonto opositor e incrédulo, es más que pasmoso con ver la pura realidad de todo el conjunto urbano y extrarradio.

Que todo esto se deba a una persona en concreto, de todos es sabido y a más de una entendido de sobras y de casi todos por la mayoría asumido y consensuado. Que el ser listo no está reñido con lo inteligente y si además sabe asesorarse y rodearse de personas leales y comprometidas mejor que mejor.

Que, si hubiera matarifes, que haberlos ahílos como en todas partes, y se entienda la oposición a todo en general, aunque sea por llevar la contraria a lo que decide la gente, antes de afilar cuchillo alguno que se cercioren bien donde clavar no vaya a ser que pinchen en hueso, que es lo que suele suceder con más frecuencia de lo debida cuando se tienen dudas.

Hablar por hablar…

Prefiero garganta con palabra, que cuello con corbata.

Palabra leal que sombrero de pana.

Crítica útil que boca cerrada.

Garganta con nuez que voz equivocada.

Boca cerrada que palabra malvada.

Palabras constructivas que malas y falsas.

Trabajo con palabras que palabras vanas.

Palabras con hechos.

Hechos y palabras.

Hechos reales, realidades vivas.

Que, por hacer, si bien hecho, tanto importa cuello sin nuez que cuello con corbata. Que, por encontrar, podemos tropezarnos con uno con jersey de pueblo, a más de uno con camisa de tergal, un montón descamisados, media docena con cara de tontos más listos que el hambre, otra media docena con cara de inteligentes y otras cuantas docenas que dan la cara cuando hay que sacarla.

Al fin y al cabo, lo que cuenta no es el engaño físico sino la realidad como persona, que de fariseos los hay en todos lados y este pueblo no es una excepción, pero ya sabemos cómo acaban. Que, si este pequeño pueblo alguna vez ha parecido de verdad, no será a costa de los fariseos sino del esfuerzo de aquellas docenas de mujeres y hombres que apostaron por una convivencia real.

Desde aquí y ahora que nadie me oye, reivindico un homenaje a las gentes de este pueblo de Adobes en la persona de Jerónimo Lorente, por su contribución y dedicación a la mejora del entorno de nuestro pueblo y por ser pionero y haber sabido infundir un espíritu de convivencia y de trabajo entre sus vecinos y conciudadanos.

Y si el tiempo pasara…
Que ya pasó.
Y si llegara el día…
Que ya llegó.
No hay mejor homenaje
Que el que se forjó.
Que por ser…
A la vista está.
A quien lo quiera ver.

Yo soy un añadido y me parece bien.
¿Y a ti?

Pues un añadido más.

Por un momento me di cuenta de que estaba perdiendo el tiempo y el ritmo de la historia y para resarcirme de todo lo comentado anteriormente decidí cambiar el rumbo e irme años atrás en la historia a donde no se conocían tales avatares, ni se podían presumir de ello.

Por irme, por lo menos veinte años atrás, allá por los sesenta (1960), más o menos cuando las hoces plantaban cara a las primeras segadoras que aparecían por la comarca.

Y puesto que estábamos en el mes de agosto, mejor no romper la hoja del calendario y seguir el día a día como mandan los cánones y las obligaciones de las tareas del campo.

—¿A que no sabes dónde me voy a ir?

—Yo que se…

—A segar.

—Tú estás loco.

—Lo que tú digas.

—Que hace tiempo que no siego y me apetece.

—Pues vaya idea más tonta.

—¿Y dónde?

—Donde sea.

—¿Y ya tienes todos los aparejos?

—Buscaré por casa, por la cuadra guardo casi de todo.

—Pues andando.

—La hoz la limpie hace poco y la zoqueta estaba casi sin estrenar.

—Mira ¿qué…?

—Está decidido.

—Bueno, allá tú.

—Así que hasta luego.

—Adiós.

A veces la locura tiene estas cosas y con tal de hacer el gracioso uno se mete en jaleos que no vienen a cuento.

Luego ya veremos cómo salgo yo de esta y como explico el ridículo que hice. En realidad, nadie me vio.

La primera quincena del mes de agosto no había sido tiempo suficiente para que la recolección se hubiera acabado y para ser más exactos la siega andaba medio mezclada con el acarreo y la trilla. A fin de cuentas, el propósito era meter a buen recaudo el cereal cuanto antes en los atrojes de las cámaras.

Yo en mi caso, o mejor dicho en mi casa, era uno de tantos de los que tenían que apresurar y apurar las horas del día del mes para que la fiesta de primeros de septiembre no se echara encima. Y los apuros en el caso particular de mi familia eran más que evidentes, teniendo en cuenta que debían de dedicarse al bar por lo menos tres o cuatro días.

Pero sigamos con la siega…

La sencilla y ligera herramienta tenía poco para preparar. La hoz no tardaría en mostrar su brillo a poco que el uso y el sol hicieran su aparición y en cuanto a la zoqueta, si no relucía era debido al polvo que tenía de tanto tiempo en la cuadra.

Las ganas de empezar no era cuestión de buscarlas. Tras siete u ocho meses de espera a que granara la mies, era momento más que deseado y casi único de acopiar cereales para todo el año. De la cosecha y del granero dependía en mucho el sobrevivir o vivir un poco más holgado.

Los trabajos de los pueblos, y más los derivados del campo, se convierten en rutina una vez que la tradición se ha aprendido de memoria y cada cual hace lo mismo que el otro y al mismo tiempo y en caso contrario infringe la norma de sus antepasados.

Los piazos de cebada se habían segado en apenas una semana, apresurando por si llegara alguna pedregada y arruinara la cosecha. Hasta había gente que adelantaba la siega y recogían la mies tierna y la dejaban engavillada para adelantar la faena.

Veía yo como la mayoría de las hoces brillaban como cuchillos recién afilados y muchas ya presentaban los morritales verdosos de tanto darle al cereal. Algunos piazos por los costerones de las ollas ya mostraban sus rastrojos adivinando su buena cosecha y hasta los **trenales** con más altura de lo habitual lo confirmaban.

El sol había amanecido para todos a la misma hora. Unos llevaban rato de adelanto al resto de vecinos, a oscuras por el camino para poder llegar al destino al amanecer, allende a las Lomas, la Veguilla o Majalalto, mientras otros se quedaban a cuatro pasos del pueblo observados por las gallinas, perros, gatos y demás vecindario.

Aquí la pericia y la experiencia del peón de segador se ponía a favor o en contra. Que por ser en contra y para evitar los accidentes, más de uno añadía a su indumentaria habitual un dedil para proteger los dedos, una manga para el antebrazo y un mandilón o polaina por si la hoz se vuelve rebelde. Que más de uno quedaba marcado durante la temporada por cicatrices de las que presumir cuando la ocasión lo requería.

Yo volvería a contarte…

Puede no servir de ejemplo, pero el hecho es que la espinilla se abrió sin sentir dolor y con la sangre a borbotones por toda la pierna. Y no es que tuviera la culpa la hoz, que era casi nueva y reluciente pero no estaba domada y el novato de turno que la llevaba no sabía ni cómo manejarla, ni llevaba la indumentaria adecuada.

Pudiera servir de excusa el que el piazo de la Colmenilla estaba aún casi verde y no era el momento de segar, que la hierba acompañaba al filo de la acequia y que el rodal donde ocurrió el entuerto tenía más mielgas que trigo y que me tocó en suerte a un servidor.

¡Vaya desgracia!

Que yo era primerizo y que todos los elementos se pusieron en contra, es verdad y cierto, pero que la novatada la pagué por no llevar el ropaje adecuado a las circunstancias y más si cabe, si un servidor llevaba un pantaloncillo tan corto que no llegaba a cubrir la rodilla. Y a todo esto las puñeteras prisas de acabar cuanto antes para ir preparando todo lo relacionado con las fiestas patronales.

La mañana se nos había echado encima intentando acabar una tablucha de cebada que tenía mi padre en el hueco del Arneruelo, por lo que la idea era de seguir a cuatro pasos de allí en el royo de la Colmenilla, para no perder más tiempo.

Las campanadas del mediodía estaban a punto de tocar, como era tradición en todos los pueblos de la comarca, avisando de la hora del ángelus y de la comida, bien para regresar a casa con la familia o en el mismo **tajo**. Era el momento más deseado por los segadores, no solo por la comida para reparar fuerzas sino para aliviarse un poco del abrasador sol y buscar una buena sombra para hacer la digestión.

Debían ser sobre las doce del mediodía cuando la mies empieza a crujir al meter la hoz en la mies y me tenía que tocar a mí la mano que deslindaba la zona de la acequia. Por suerte, más bien mala suerte, le tuvo que tocar al peor pion y más novato, lo que ya se venía venir.

Por suerte puedo contarlo, porque la profunda herida es de las que asustan al más pintado. Era una brecha semejante a una boca hambrienta de donde manaba sangre a borbotones sin poder parar la hemorragia. Y no es que nadie se vaya a morir por esto, pero el susto sí que fue para quitarle a cualquiera la risa.

Para echarse a llorar era, como así fue por parte de un servidor cuando vio la escandalosa herida, pues el único recurso al alcance fue enganchar el pañuelo que llevaba mi madre en la cabeza y hacer un torniquete. Seguidamente después vendrían los gritos, alerías y geringocias para exagerar la importancia de la avería.

Recuerdo que me llevaron en volandas al Cañuelo donde el agua que me echaron terminó por exagerar la lesión de la espinilla. De aquí otra vez en volandas hasta la enfermería del pueblo como si de la cogida de un torero se tratara.

Por aquellos entonces había un practicante oficial en el pueblo que hacía de todo. A tal caso, tal especialidad. Era un tal Don Vicente, como así se llamaba, licenciado en cirugía cuando la ocasión lo requería, como podía hacer de comadrona, estomatólogo, traumatólogo, podólogo, etc, aunque su verdadera especialidad era la de poner banderillas en forma de inyecciones y pinchazos intramusculares y todos sus derivados, así como apósitos, vendajes y ungüentos de todo tipo para reparar y evitar que las heridas se infectasen.

Como segunda actividad y sin título que lo acreditase, a no ser el de su instrumental, y para rellenar el tiempo muerto entre herido y enfermo, deberíamos añadir a su consulta la profesión de peluquero y barbero oficial del pueblo.

Que, si Practicante Oficial era él, la mayoría de los vecinos estaban acostumbrados a lidiar con todo tipo de heridas sobre todo entre los animales de la casa. Estas situaciones eran habituales entre las reses, los mulos o cualquier otra cosa y a nadie le daba miedo coger una auja e hilo y hacer una sutura a un animal o entablillar una pata para aliviar la salud de cualquier animal. Que de todos es bien sabida la habilidad demostrada por los capadores de los pueblos en mutilar a los machos de sus cataplines con unas pequeñas incisiones.

Que, en mi caso, puntos no se los que me debieron poner porque las puntadas duraron por lo menos dos horas. Por cada punto que cosía se le escapaban tres. La herida en la espinilla no ayudaba a cerrarse y Don Vicente ya no sabía qué hacer. Al final hizo un zurcido casero y a correr.

Bueno, lo de correr es un decir, la cosa no era para tomarla en broma, entre descosidos, curas, cataplasmas y demás, iban pasando las visitas, los días, las semanas y hasta la siega, la trilla, la fiesta y casi medio otoño. La mala pata lo único bueno que me trajo fue una temporadita de descanso y hasta de ciertos mimos.

Y no fui yo solo ese verano. A la par andaban un par de ellos más. Uno con un dedo roto medio colgando al escapársela la piedra de afilar la dalla y otro con las puntas de los dedos recortados por meterse farolero en la máquina de segar. Ya no cuento los que presumían de chichones de diversa índole como corresponde a la temporada de trabajo y a la peligrosidad que de ello se derivaba.

Todo un cuadro.

Mientras unos permanecían lisiados haciendo lo que podían, los más se afanaban en aligerar lo máximo posible para evitar las maldades de última hora ya fuera en forma de tormentas y de pedriscos que por estas fechas no avisan y suelen ser poco agraciadas y en cualquier caso mal recibidas.

En nuestra comarca debido a su altitud y su climatología se solían hacer las tareas de la recolección a últimas fechas del verano, lo que era propicio de que aparecieran algunos piones que se ganaban la vida rondando de pueblo en pueblo provenientes de las zonas de la Mancha, Extremadura o Andalucía y que en muchos casos ayudaban a paliar la escasez de mano de obra.

A veces la cosa no pintaba bien.

Resultó que la pinta no pintó y la figura no toreó el toro que le tocó. Las manos al segar se descompensaban a las primeras de cambio y el dueño no era capaz de sintonizar el concierto con tanta batuta de por medio. Según parece ser, la enana cebada se adornaba de excesivos cardos, lo que obligaba a que se desvariaran más de la cuenta para evitar las pinchas y la mies se quedara en el piazo.

En muchos casos los destajos variaban en función de la ración de comida y de la bota de vino que colgaba del majuelo. Que, dicho en cristiano, cuando se acababa la comida y el vino, se acababan las ganas de segar.

Que en el asunto de la siega muchas cosas tenían que ver y mucho, y ni que decir, de los capazos, cestos, alforjas o zurrones con sus respectivas viandas eran los que repercutían en el rendimiento del trabajador y más tratándose de una faena tan ardua y dura.

Que lo que para unos podía ser imprescindible, para otros pasaba a ser superfluo o innecesario. Y no me refiero a la mies o a las ganas de segar, que no solo eran imprescindibles y necesarias, sino cómo llevar a cabo dicha faena y de qué manera.

Si necesario era la hoz y la zoqueta, los había que gente de otras comarcas que siendo desaprensivos preferían cortarse las uñas con la hoz.

Pero repasemos algunos de los útiles necesarios o imprescindibles para el desarrollo seguro de la actividad de la siega.

HOZ.— Es un elemento metálico curvado asido en su extremo a un mango de madera. Su lámina cortante presenta unas incisiones dentadas para facilitar la siega de la mies.

ZOQUETA.— Es un utensilio a forma de zueco de madera, hueco por dentro, que se adapta a la mano contraria a la de la hoz y que sirve de guante de protección y para ayudar a recoger la mies una vez cortada.

MANDIL.— Delantal con peto de cuero o de lona gruesa que protege al resto de la indumentaria o al roce de la mies.

MANGA.— Trozo de cuero que se adapta en el antebrazo mediante unos ribetes y que sirve para evitar el roce de la mies y de los pinchazos y como apoyo para hacer las **zorcas.**

MANOPLA.— Guante de loneta que se coloca en la mano de la hoz cuando el piazo a segar está lleno de cardos.

POLAINA.— Especie de pantalón que se adapta de cintura para abajo en las piernas del segador para proteger del roce de la mies.

DEDIL.— Funda de tela que se pone en el dedo índice de la mano de la zoqueta para evitar las heridas.

MUÑEQUERA.— Venda de tela o cuero que se coloca alrededor de la muñeca del antebrazo para evitar que se "abran" durante la época de siega.

SOMBRERO.— Parasol generalmente de paja que evita que los rayos del sol caigan sobre las cabezas y permitan el fluido del aire.

FAJA.— Tira de tela ancha que se coloca alrededor de la cintura y sobre los riñones para mantener recta la columna vertebral y evitar el dolor.

PAÑUELO.— Es una pieza de tela fina y transpirable que se coloca en la cabeza para evitar el sol y el sudor. En nuestra zona era habitual usar el moquero.

ALFORJA.— Especie de talega de lona partida y abierta por la mitad a forma de morral que sirve para llevar las viandas.

BOTIJO.— Vasija de barro con asa que permite conservar el agua fresca en la sombra de los arbustos.

Y si estamos ya en el tajo, deberíamos saber que formas y maneras que se usaban para llevar a buen término la actividad de la siega.

LA MANO.— Es el espacio de terreno que se siega por el pion respecto al resto y siguiendo un orden preestablecido.

LA ZORCA.— Es la porción de mies que se acumula entre la mano y la zoqueta y que se ata dándole una vuelta con la misma caña de la mies.

LA GAVILLA.— Montón de zorcas que se van formando en la parte posterior de la mano y que facilita el ato de los haces.

EL HAZ.— es la porción de gavillas que se atan entremezcladas mediante un vencejo hecho de la misma mies o previamente preparado.

EL VENCEJO.— Especie de liana hecha con cañas de centeno desgranado y que sirve para atar los haces.

GARROTILLO.— Pieza de madera parecida a la hoz que sirve para hacer el nudo al vencejo.

Teniendo en cuenta el trabajo realizado en el campo durante todo el año, posiblemente la siega era el más duro viendo la temporalidad y la estación en que se desarrolla.

Deja la senda el pion y un adiós a su vecino,
Cruza la morra y el valle, apura y sigue el camino.
Navega la hoz entre cañas,
Brotan chasquidos y llantos,
Pelean zorcas y zoquetas
Por hacerse con su mano.
Ya se enfilan las gavillas todas repletas de grano
Huyen el cardo y la malva y el grillo oculta su canto.
Sestea el botijo en la sombra,
Reposa el cesto cansado,
Duerme el vino en su pellejo
Junto al atarre y el ato.
Resuenan las campanas a lo lejos al toque de mediodía,

Se agosta el mulo con paz, esperando la partida.
Que la comida no espera, el sol aprieta y la gana apremia.

La mayoría de los piones acababan de milagro. Y ni que decir tiene que cuando se acabaron los milagros se largaron los piones. En muchas casas, a no ser tres de cuatro, se veían a hacer milagros cada día para que se pudiera comer y más de una tinajilla quedaba huérfana antes de llegar el verano, si es que no lo había hecho entrada la primavera.

Y nadie mejor para hacerlos que las mujeres del pueblo. Ellas eran las encargadas y responsables de que la economía familiar funcionase y pobre de aquella que el ingenio no le permitiese cumplir con las obligaciones de madre y de esposa, porque el machismo imperante era capaz de hacer de lo más insospechado.

—¿Estás hablando de maltrato?

—Quía.

—Eran unos tiempos…

Ellas tenían que hacer de madres crionas para con la prole de sus hijos, esposas fieles para con sus maridos, siervas y sirvientas de la casa, mulas de campo, etc, y siempre dispuestas a halagar al marido fuera en las condiciones que fueran.

Atareada andaba la mujer en casa sabiendo que la hora se la hora se le echaba encima. Que, si ha de salir al campo, cuanto mejor, que más vale llegar antes, que llegar en mala hora. Que si era por segar una mano más su fruto ha de dar y hasta el marido la recompensará.

Por allá por el camino se notaba un bulto en solitario con un cesto de mimbre en el ancón en busca del piazo donde llevar el almuerzo al marido que andaba en solitario bajo el solitrón. Que pionas ha tenido el campo con tantas agallas y con tanto arte como los piones masculinos. En otras actividades agrícolas se habían visto relegadas a un segundo término, pero en la que nos atañe las ha habido con más gracia y salero que los propios hombres.

Por ahí se oía decir…

Cargá como un burro iba, y cargá como un burro venía.

Que se sepa, de hombres había que segaban mucho y bien, poco y mal, mucho y tan mal que parecía un aprendiz. Algunos ni segaban, y uno o dos lo hacían tan mal que le hacían la competencia a las mismas máquinas de segar de tracción animal. Que había piazos que ir a moragar era casi recolectar y en no muchos ni los pájaros podían ir a picar.

Ya se sabe que cada persona es un mundo, y que cada uno tiene sus formas y maneras de hacer las cosas, pero en esto de la siega hay unas normas tradicionales que no conviene romperlas por aquello del que dirán. Y sino que se lo digan al tal fulanito que tenía la costumbre de hacer más trenales que haces para aparentar más que los demás.

Por seguir la tradición los que estaban a unas leguas del pueblo se tiraban a echar la siesta en la primera sombra que encontraban, asfixiados de calor y apestados de moscas y tábanos. Los que veían el pueblo desde el tajo aprovechaban las horas de más sofoco para acercarse a casa con los jumentos y reponer energías.

Tradición era que se empezara a segar a partir de la fiesta de Santiago Apóstol, aunque semanas antes ya andaba la gente liada con los pipirigallos, las bezas, los yeros y demás. La primera que tomaba color era la cebada y a continuación se seguía con el trigo, el centeno y la avena.

A mediados de agosto se empezaba a acarrear los haces y a trillar en las eras o a las dos cosas a la vez. La mayoría andaban vigilando que no saliera el "Cura Corbatón" encima de las minas de Setiles y le metiera el miedo en el cuerpo.

El Cura Corbatón es el peor feligrés que puede tener el agricultor cuando la mies está a punto de madurar. Es aquel nubarrón que asoma por el oriente de las minas sobre mediodía y cuando empieza a hinchar su sotana de negro explota irremediablemente sobre las cinco de la tarde. La tormenta está asegurada y en muchos casos con pedrisco.

La gente eran unos artistas a la hora de evitar que la lluvia mojara los haces de mies y a tal caso construían las "**cinas**" con tal perfección que parecían obras de arte. Como torres de babel se levantaban entrecruzando los haces de tal manera que quedaran prácticamente cerradas en su parte superior y en caso de lluvia las mismas cañas se encargaban de escupir el agua a la superficie. La tradición de arquitectura solía pasar de padres a hijos y casi siempre en las familias en que la cantidad de cosecha les permitía presumir ante todo el vecindario.

Volvemos de nuevo al lisiado.

Aprovechando que el descosido de la pierna me había dejado un zurcido suficientemente grande como para saber que no era paralítica y el parasitismo que me obligaba a estar en casa con la pata estirada, me empezaba a hartar de tanto mirar por la ventana. Así que decidí echarme a la calle y esbarriarme hasta las orillas del pueblo para poder observar cómo iba el trajin de la siega.

Los rastrojos cada vez blanqueaban más en los piazos y los trenales se apilaban a sus orillas con su pintoresco y pícaro arte. El Quiñón y el Canalón de la Ermita se salvaban al presentar un amarillento tierno y por su proximidad al pueblo. De siempre era la zona del pueblo que se segaba a última hora pues no necesitaba de grandes esfuerzos para su acarreo hasta las eras.

Una máquina de segar andaba por encima del Sestero espantando con sus aspas y con su traquiteo a todo bicho viviente, como novedad que era.

Había más de uno se acercaba a ver el artefacto y comprobar si realmente valía la pena invertir unos cientos de duros para tan poca y parca cosecha.

Su funcionamiento tan sencillo como funcional no dejó de crear cierto recelo entre la gente, pues consideraba que el tiempo ganado no compensaba la cantidad de mies que se desperdiciaba tirada por el suelo. El hecho de que su tracción fuera animal invitaba a más de uno a su adquisición, dado que la mayoría contaba con su correspondiente yunta de mulos.

El problema venía a la hora de enganchar a los animales al timón de la dichosa máquina. Los había que se espantaban apenas apareciera un coche por la carretera, así que imagínate cuando dicho artilugio se ponía a dar vueltas con las aspas.

¡Vaya fiasco!

Todo llegó poco a poco, y hasta se domaron unas cuantas yuntas que fueron las máquinas que llegaron al pueblo esa temporada. Y aun siendo tan pocas, cuando llegaron a estar a pleno rendimiento, parecía que en el pueblo había un arsenal del ejercito por el estrapalicio y el jaleo que se montaba. Toda una revolución industrial.

Moragar por estas fechas hubiera sido para algunas familias hacer su propia cosecha por la cantidad de mies que saltaba por el aire fuera de las propias gavillas. – Que lejos de aquellos tiempos en que una moraga volvía al pueblo como si fuera una obra de arte creada a ritmo de una espiga del rastrojo y dos del trenal.

Recuerdo como si fuera ayer, como sus dueños rivalizaban en cuanto a modelos y marcas. Si la una lo hacía bien, la otra mejor que mejor. En realidad, todas lo dejaban mal porque ni el término del pueblo era terreno adecuado para estas máquinas, ni los piazos estaban preparados para tal eventualidad. Solo se ponían de acuerdo en que la marca por excelencia se llamaba "Trepat".

Que yo por quedarme, me quedo con los de siempre, que a fin de cuentas esos cacharros son flor de cuatro días. En apenas unos años asomaron las cosechadoras arrasando los campos de cultivo y con ello todo tipo de maquinaria, incluido segadoras, trilladoras y todo lo demás.

Las hoces, zoquetas, dediles, mandilones, garrotillos y toda su comparsa de enseres quedaron arrinconados en los desvanes, cámaras, cuadras y atrojes.

A mí me costaba reconocer que la revolución industrial había llegado a los pueblos y seguía reivindicando la labor de los antepasados.

Salía el segador al campo con su serón y sus hoces, el mulo rompiendo el silencio con su traquiteo y sus cozes.

Polvoriento va el camino a ritmo de piales y abarcas, el trigo baila en el piazo en cabriolas onduladas.

Broncea el sol el trigal y el viento reseca sus cañas, el pueblo queda vacío sesteando en la solana.

Qué tiempos aquellos… casi todos segando con hoces y abarcas.

Volvieron a pasar los años. Cada máquina de segar que venía al pueblo se llevaba tres o cuatro familias al exilio. Cada año que pasaba se cerraban varias casas, hubo años que de tres en tres o cuatro a cuatro, lo que tú ya te imaginas y lo que yo no me canso de repetir. Una verdadera ecatombe.

Fueron pasando más años…

Los pocos vecinos que quedaron se armaron de maquinaria hasta los dientes. Lo que yo llamaba siega hace unas líneas, se convirtió en pura coincidencia con la realidad, por llamarse, ya no se llamaba segar, se decía cosechar, o lo que es lo mismo, todo en uno.

Por no existir, ya no se respetaba la fiesta de Santiago Apostol, ni la de la Virgen de Agosto, ni siquiera la fiesta de la Virgen de Santa Cristina. Solo el traquiteo de unas cosechadoras hambrientas de cereal, que en unas semanas se comen los piazos a ritmo de polvoreda y de chacacha, espantando a todo bicho viviente que se ponga a su paso.

Todo el trabajo artesanal de nuestros antepasados y todas sus costumbres ancestrales de siglos se ven aniquilados en un visto y no visto. Aquel orden premeditado hecho a base de años de experiencia se ve relegado a la premisa de explotación y de rentabilidad de costes sin entrar en más argumentos.

Lo que antes llamábamos piazos, ahora han pasado a llamarse fincas, y no porque su extensión así lo determine sino porque da más empaque y más sobreestima al agricultor. Ahora se cosechará con el atropello que marque la maquinaria sin miramientos de tipo de cereal ni de grado de madurez.

Hoy en día las hoces, zoquetas, garrotillos y demás utensilios han quedado en el olvido, enterrados entre la desiria o en los cuartos trasteros.

Quizás aquellos que han sobrevivido a los basureros sería el momento de reivindicarlos en torno a un museo etnológico. Tal vez sea una de las deudas que tengamos los adobanos actuales para conocer mejor las raíces de nuestra cultura.

Yo andaba perdido en mi imaginación. Llevaba rato observando el jaleo y se estaba tan bien. Entre la sombra del árbol, el frescor de la hierba de la acequia, el cuchicheo de los pájaros, el traquiteo de las máquinas de segar y el ajetreo de hoces, piones, animales y demás, estiré la pata.

Más que dormir en el presente, dormía en el recuerdo.

Más que dormir, yo creo que deliraba.

Uno a veces piensa cada cosa…

Seguramente no soy objetivo en mis apreciaciones o tal vez me deje llevar por mi ego más personal, pero a pesar de mis parciales y particularísimas opiniones, como todo el mundo las tiene, escribo lo que pienso con más o menos acierto y tal vez con un poco o demasiada exageración.

Y si lo hago es porque disfruto. Y que yo sepa a nadie se le puede privar de hacerlo, a salvo que ofenda a alguna persona. Mi objetividad es más vidente y viviente que histórica y en todo caso aderezada con un poco de fantasía personal. Y de esta ando más que sobrado, sobre todo a ratos.

Uno sueña tantas cosas…

Si yo pudiera tener una casita en el campo, si pudiera…

Y si la ciudad fuera prado, yo sería golondrina que volaría de balcón en balcón buscando una caricia.

Si yo pudiera volar, me perdería por la meseta en busca de la montaña donde se respira aire puro y libertad sana.

¡Ay! si yo pudiera elegir, me iría lejos donde la sociedad no te absorbe y la persona puede elegir su modo de vida.

Que yo piense así, no quiere decir que los demás tengan que hacerlo por necesidad, ni porque hacerlo, ni siquiera porque parecerlo, ni demostrarlo, pero mucho me temo que más de uno y más de dos, pudiera ser que opinaran como un servidor.

Yo me pregunto…

—¿Cuántos se acercan al pueblo por el mismo motivo que un servidor?

—Tal vez muchos.

—¿Lo ves?

(Que conste en acta que yo no lo he dicho)

—¿No habrás sido tú?

—¿Yo?

—Pues habrán sido los demás.

—Que demás, si no hay nadie.

(Este tío está delirando)

—No me engañes, que te engañas tú mismo.

—Este habla solo.

—Dejarlo que está soñando.

Abrasaba el sol de manera tórrida. Yo estaba tan ricamente delirando a la sombra del inmenso olmo de la Ermita. Había estirado la pata y no me importaba en absoluto seguir muerto. Por respeto ya no se acercaban ni las moscas ni los tábanos, debían verme en muy mal estado.

Yo seguía pensando…

Siempre que me muero es cuando más vivo estoy y siempre que me duermo es cuando estoy más despierto. Entonces la mano se pone tonta y se pone a escribir de carretilla sin saber cómo pararla.

Y se estaba tan ricamente a la sombra de los árboles que me imaginaba a Machado junto a la Ermita de San Saturio. Y el bolígrafo sin síntomas de que se acabe la tinta. Así que a seguir.

La mano está tan viciada con todo lo relacionado con el pueblo, que cuando se pone a escribir no puede parar. Yo la perdono porque a fin de cuentas son cosas del pueblo, donde vi la luz por primera vez y donde la vuelvo a recuperar a pesar de a veces andar con cataratas.

Cuando uno se pierde en la inmensidad de la paz de su pueblo y es capaz de mimetizarse entre sus campos, pudiera ocurrir que encontrarse la explicación de su existencia. La vida de hoy en día, ofrece tantos reclamos que al final uno quisiera quedarse atrapado en la jaula de la libertad.

Todos piensan en mañana,
¿Y mañana que será?
—Será un sueño imposible
Que apenas se puede tocar.
El futuro es lo más bello

Que el ser puede soñar,
Sueña y sueña que lo vive
Y fracasa al despertar.
Siento que el mañana pasa,
Que pasa sin esperar,
Como un amigo que anhelas
y que nunca llegará.
Feliz de aquel que pudiera
Al mañana detener,
Sería un sonido de notas,
Notas puras de placer.
Paraíso de delicias
Que todos quieren vivir,
Y en este mundo de penas
Soñar es sobrevivir.

Cuando una persona logra hacer lo que le gustaría realizar mañana ha cumplido uno de sus mayores deseos. La utopía etérea hecha pura realidad y la realización de una quimérica ilusión de siempre nos lleva a la paz interior.

Aquí en el pueblo la paz no se consigue en clausura sino a cielo abierto y en contacto con la naturaleza con toda la amalgama de vida que se desarrolla a su alrededor. Aquí no es necesario pertenecer a ninguna orden franciscana para dejar que los pajarillos se acerquen a ti.

El campo siempre tiene las puertas abiertas para cuando queramos entrar, y sin embargo nosotros somos tan tontos que no hacemos más que poner candados a todas sus puertas. A veces la compañía de los pinos o rebollos son suficientes para darnos la paz y tranquilidad personal.

No estés triste de pensar
Que solo estás en la vida,
Hay muchos igual que tu
Que encontrarás algún día.

La soledad es una virtud difícilmente entendida por los que la desconocen e inmensamente apreciada por los que la disfrutan. La apatía y la tristeza que en apariencia puede adivinarse a vista de los demás, no es más que un puro desconocimiento de la realidad. La persona en la mayoría de los casos es incapaz de conocerse a sí mismo y mucho menos de reconocerse.

Habrá quien dé la espalda
Sin saber porque la da,
Quizás pierda una ocasión
Que no volverá a encontrar.

Andaba perdido en el vacío del absurdo. Mi cabeza no tiene explicación alguna para justificar tanta modorra. Mi vista se había cegado en un lánguido y perezoso sueño. Las horas, los minutos y los segundos no cuentan, ni saben si van para atrás o para adelante.

Mi cuerpo estaba libre de todo, plácido e inerte, casi tan agonizante que parecía estar muerto.

Mi reloj sin vida, parado a la existencia, sin estímulo y sin horario.

Mi mente perdida, encajonada en un profundo coma.

El cielo gris plomizo.

El día muerto.

Los minutos muertos, quietos y parados.
Mi cuerpo estabulado en el vacío de mi pereza.
Mi mente apenada y apesadumbrada.
El mañana muerto, eterno y sin nada.
Las horas vagas y paradas.
El día muerto, la mente plana, sin nada.
Yo soy aquel que ayer soñaba
Sueños azules,
Canciones vanas,
Alondras y pájaros que nadan en el infinito cielo.
Volaban estrofas retozando en el viento
Vanas canciones de azules sueños.

Y soñaba que no estaba.
Estaba yo tan ricamente que más que soñar deliraba.
La hierba me acurrucaba y me engañaba.
Estiré la pata, ya no sentía nada.
Y uno sueña que vive.
Quisiera quedarme así para siempre y a poder no ser nada.
El día que se apague el sol,
Cuando mis horas se paren,
Quiero dormirme a solas
Entre terrones y aliagas.

Que sea como un paseo
Para ver salir el alba
Y si es por libertad
Mejor en medio del puntal.

Que mis cenizas se avienten
Semillas con corazón
Para que nazcan espigas
Y renazca la ilusión.

Que sea en Valdecatalina
Como testigo el Quiñón
Que sean los que han de ser
Y al amanecer del sol.

La cantidad de tonterías que rondaban por mi cabeza sufrieron un sobresalto tal que por poco me muero del susto.

—¡Con lo bien que estaba yo! Mira que si después de muerto, resucito.

Muy bien no recuerdo lo que estaba pensando, pero desde luego si no había llegado a Babia poco le debía faltar porque por el camino cruzaba alguna que otra musaraña y el cartel que indicaba las Batuecas lo había dejado atrás hacía bastante rato.

Las hojas del árbol se encabritaban en las ramas con tal revuelo que casi me levantaban en volandas. Se había formado un remolino por el Canalón y no se le ocurrió otra cosa que bajarse por el Quiñón y llevárseme por medio entre la polvareda de restrojos y de polvo.

Un remolino por estos lares es tan infrecuente como espectacular, y suele darse en temporadas de excesivo calor, sobre todo por el mes de agosto donde no consiguen ponerse de acuerdo con el termómetro el aire frío y el aire caliente del lugar y como consecuencia de ello las térmicas se enzarzan en una pelea que terminan volando por los aires.

Y a causa de ellos más de una vez ha habido toros. (Entiéndase como haber toros cuando una de las yuntas que andaban por las eras salían con el trillo arrastras fuera de la zona de trilla, con el consiguiente revuelo y estropicio que se formaba).

Haces enteros, gavillas y trenales he visto salir corriendo por los piazos sin saber a dónde ir a parar, y más de una yunta ha salido despavorida a los cuatro pies huyendo sin rumbo fijo hasta encontrar un motivo para pararse o tener que renunciar al susto por faltas de energías para seguir.

No es que hubiera toros todos los días, pero de vez en cuando salía alguna corrida de improviso. Adobes por tradición es seguramente el pueblo de la comarca que menos afición tiene a la celebración de estos eventos en toda la zona de la Sierra, y que yo sepa solo he oído hablar de un tal torero y más por mote que por sus excelencias en el arte de los toros.

Que por irse de toros se puede ir a cualquier bicho viviente, desde un animal hasta una persona y de distinta manera y forma. Luego cuando volvamos a la era a trillar te lo cuento.

Yo me enteré después, pero ese día parece que hubo toros por la cuesta del camino de los Poyales. Y todo porque, según parece ser, tuvieron la culpa entre el remolino que se formó y una camioneta que bajaba medio destartalado por la carretera hacia la Boca del Arenal, y a resultas de lo cual fue a tomar viento la carga de cebada que llevaban en el carro.

—¿Te enteras o no?

—La verdad, es que no mucho.

—Pues te cuento…

Te puedo decir que había días que se celebraban hasta dos corridas en la misma tarde y muchas de ellas con música incluida, sobre todo cuando llegaba la hora de la trilla y le daba por salir el Cura Corbatón.

El único momento de descanso era cuando llegaba el acarreo de la mies. Aquí el personal podía relajarse mientras se ponían en marcha los animales con los aperos correspondientes.

En mi casa no había carro, ni falta que hacía. Ni estábamos ningún miembro de la familia en condiciones de conducir semejante artefacto, ni teníamos animales domados para desarrollar dicha tarea. Por otro lado, las parvas no pasaban de seis entre trigo, cebada y granzas, lo que no justificaba tal inversión aun añadiendo un par más de centeno o avena.

No es que los aparejos y bártulos empleados en el acarreo fueran algo del otro mundo, pues cada cual los disponía casi siempre por herencia de familia o se las había ingeniado para hacerse con ellos de cualquier manera, siempre que fueran los adecuados para no lesionar al animal.

Téngase en cuenta que muchos de los animales entraban en solfa por primera vez en el acarreo tras varios meses de inactividad o prácticamente nula y al mínimo desajuste en la albarda le suponía rozaduras, sobre todo en los que estaban más flacos o su morfología era menos agraciada.

Sus dueños ya se preocupaban de adecuar mantas o aperos de tela con las que salvaguardar el roce de la albarda, de las colleras o de los atares.

En Adobes ya hacía tiempo que había desaparecido la fragua y el herrero, aunque haberlo lo hubo en décadas pasadas.

La cantidad de herraduras que se llevan recogidas por los caminos y las que quedan todavía por los piazos. Por aquellos años de la postguerra debía haber por el pueblo un centenar de mulos, burros o caballos destinados a la agricultura.

Y si tuviéramos que vestir un mulo un poco decentemente para salir a acarrear, tendríamos que ponerle como mínimo los aparejos aparentes además de sus correspondientes cabezadas y su ramal.

ALBARDA.— Especie de montura hasta media tripa en forma de triángulo, acolchado y sujeto a dos costillares de madera incrustados en su interior.

CINCHA.— Faja de cáñamo recubierta de lienzo que sujeta a la albarda a la tripa del animal mediante una trabilla.

ATARRE.— Faja que va desde ambos lados de la albarda al trasero del animal por debajo de la cola y que evita que la carga se vaya para adelante en las bajadas.

SAMUGAS.— Par de costillas de madera de rebollo o carrasca que se sujetan a ambos lados de la albarda por medio de la cincha.

SOGA.— Lianas o cuerdas de gran longitud que sirve para atar los haces o materiales a transportar.

BOZAL.— Protección que se pone al animal en el morro para que no pueda morder mientras está trabajando.

La mayoría de estos elementos eran piezas de guardicionería, y en ocasiones convertían a las caballerías en verdaderas obras de arte. La albarda se solía hacer de lonas, badanas y paños para no dañar al animal y los atares de cuero con serigrafías hechas a punto de punzón y de navaja y en las orejeras de las cabezadas se imprimían las iniciales de sus dueños con clavos dorados.

Las samugas eran habitualmente de hechura casera. Se solían hacer de carrasca o rebollos por su durabilidad y era frecuente ver incisiones geométricas hechas a punta de navaja en sus extremos e incluso las iniciales de la familia, pues se heredaban de padres a hijos. La tradición del animal de carga por estos lares viene de tiempos inmemoriales.

Hay que tener en cuenta que tan reiterada alusión a la morfología del terreno hacía imprescindible el uso de dichos animales para las diversas tareas del campo, y una vez introducida la revolución de la maquinaria agrícola, tampoco es viable el deshacerse de ellos, debido a que las herencias se han convertido en minúsculas al no parar de repartirse proporcionalmente entre tanta prole de hijos y en consecuencia invita a deshacerse de ellos y venderlos.

Será con el paso de los años y con la emigración de las gentes del pueblo a otros lugares cuando se introduzcan las nuevas tecnologías, bien por su rentabilidad, bien por el fomento de la concentración parcelaria de estas tierras.

Como yo me resisto a dejar zanjado el tema así por las buenas, me obligo a salir, aunque sea un día solo, a patear los caminos y a ejercitarme un poco en el uso de la soga sobre las samugas.

Ya veremos si me acuerdo como se colocaban los haces sobre la albarda y si soy capaz de llegar con la carga al destino. Por intentarlo no va a quedar.

Por soñar, cualquier cosa.

Aun entraba la luz de la luna por la ventana de la alcoba que daba al callejón del solano, cuando ya se oían los primeros pasos de herraduras de las caballerías que iniciaban su jornada de acarreo. Los pasos firmes y seguros retumbaban en el silencio de la noche apenas molestados por los ladridos de los perros que se apostaban por la calleja.

Aquel madrugador ajetreo fue el que alertó a mi madre y los que hicieron que tuviera que saltar de la cama a más de paso. La noche la habíamos ocupado en corrillos y discusiones sin ningún provecho y que no justificaba la demora en el despertar.

La excusa de tanto madrugón no era otro que el acarrear el trigo rubión del piazo de las Decarás. El trenal había salido más grande de lo esperado, debido a la buena cosecha y la mañana presumía que la cosa vendría muy ajustada a la faena.

El Bayo y la Negra eran como de la familia. De hecho, vivían bajo el mismo techo y a escasos metros de nuestros aposentos.

El macho Bayo, como así lo llamábamos por aquello de su pelo rojizo tirando a azafrán, ya llevaba varios años con nosotros, tantos como llevábamos la familia de mis padres en la casa nueva. Me consta que se lo compraron al tío Nicanor al cambio de un burro y algunos duros más.

La mula Negra era un poco más joven. Según los entendidos en odontología animal, sus dientes indicaban unos cuatro años y su falta de oficio en las tareas del campo era de principiantes.

Ambos eran grandes y poderosos, quizás demasiado grandes para lo que se llevaba por el pueblo. Aquel, el Bayo, agraciado en todo, la mula era un poco más gangosa y roma. Puedo asegurar que nos conocíamos de sobras como si fuéramos hermanos.

El chirrido del cerrojo de la escalera y la luz de la bombilla los puso en movimiento, sabían que a esas horas no se bajaba a la cuadra a darles de comer ni mucho menos y su temor estaba a punto de resolverse. En cuanto el Bayo vio que iba con las cabezadas le lanzó un par de mordiscos a la Negra, que en respuesta le dedicó un par de coces.

Subsanado el entuerto y tras unos aspavientos de orejas y testuz, aceptaron la situación. Con las albardas en las grupas y todos los atares en su sitio, salieron a la calle del ramal preparados para salir dispuestos a comenzar la tarea del día.

El tiempo se echaba encima a más de paso.

Razón tenía mi madre cuando me dijo que no me entretuviera y que aliviara lo más que pudiera. Cuando quise coger el camino de Alustante ya me di cuenta de que me habían cogido la delantera. El día estaba fresquito, pero enseguida levantó el sol y la cosa se ponía como dios manda.

Llegamos al piazo y pronto me di cuenta de que no se ponían de acuerdo en cual cargar primero, más bien estaban pendientes de probar el trigo del trenal. Si atendía a uno, se despistaba el otro, y si, al contrario, viceversa.

Como el acuerdo no llegaba a consenso a pesar de las intentonas, fue el cabreo el que hiciera acto de presencia para llegar a una solución razonada. Y como cada uno tenía sus razones, no hubo manera de llegar al consenso. Mi obligación era cargar y sanseacabó.

Los haces pesaban como burros y mis fuerzas no daban para más de lo que podían. Entre las arrobas que pesaban los haces, los machos que no colaboraban y no paraban de hacer la puñeta, las samugas que no dejaban de bailar en la albarda, en cuanto intentaba atar un haz, el animal reculaba y mi experiencia no colaboraba en la solución de la faena.

Y a todo esto el que permanecía esperando para cargar me la pegaba por el otro lado del trenal.

—¡La madre que te parió!

Y encima amenazaba con coger camino a casa.

Yo sudaba la gota negra. Entre dudas y más dudas arreaté a los mulos y me puse a rezar. –Que no se desbaraten las cargas.

Los mulos no paraban de hacer la hostia, no podían estarse quietos ni un momento, parecían tener el baile de San Vítor. Los bozales estaban medio rotos y no paraban de meter el morro en la mies y las cargas tomaban una inclinación preocupante.

Yo me decía…

—Estas aterrizan, seguro. No lo salvan ni un milagro.

Los animales seguían con el baile de San Vítor, mientras yo no paraba de rezar invocando a todos los santos que me pasaban por la cabeza. Las cargas bailaban al ritmo que marcaban los bailarines.

Yo sabía que la guerra era inevitable tal como iban las cosas. Ellos seguían dando más guerra que el mamón y no daban síntomas de querer arrepentimiento. Yo estaba al borde de los nervios y a punto de explotar.

Y pasó lo que tenía que pasar.

En plena cuesta abajo, con tanto baileteo y con tanto desenfreno, no tuve tiempo de decir sooooo.

—¡¡¡¡Sooooooooooo!!!!

—¡¡¡A tomar por culo la carga!!!

Me cagué en toda intemerata. Con lo que me había costado cargar y el cuidado que llevaba y encima que me pase esto.

Me lo imaginaba. Sabía que tenía que pasar.

Los animales se pararon y ni se inmutaban.

No me lie a palos con ellos porque la situación no lo aconsejaba, solo faltaba que salieran corriendo camino abajo y se fueran de toros.

Con gran cabreo recompuse como pude la carga, apretando ls cincha de la caballería con todas mis fuerzas, prefería que reventara el animal antes que se volviera a caer la mies.

Entre rezos, juramentos, retoques a la carga y piedras para compensar y equilibrar la balanza llegué a la era con más mirones de lo habitual. Yo creo que estaban haciendo apuestas de si la carga llegaría a destino o se desbarrigaría en cualquier momento.

Hay momentos que, aunque uno sea ateo, se acuerda de implorar a todo bicho viviente. Yo rezaba al Altísimo el Padrenuestro, el Ave María, los Misterios y hasta el Credo con tal de que viaje se desarrollara como era lo normal. Yo seguía creyendo.

Tan apuraos iban los haces en las samugas que una vez en la era no esperaron ni a que aflojara la soga, se desbarrigaron como si de un parto prematuro se tratara.

—¡Ufff! lo tranquilo que me quedé.

Dejé de rezar el rosario, el credo y todas las letanías.

En cierta medida me sentía satisfecho. Mi edad no debía pasar de la quincena de años y podía hasta excusarme por el hecho de que un servidor se pasaba la mayoría del año en el colegio fuera del pueblo. Mi inutilidad no es justificable por mi mala experiencia, pero sí que se alió para jugarme una mala pasada.

Aún estaba recordando la avería con la hoz.

Rehecha la situación, los animales se sentían más calmados debido a que ya se habían hartado de comer trigo en todo el camino. Los acerqué al Cañuelo a que bebieran agua, lo que aprovechó un servidor para acercar el morro y echar su correspondiente trago.

De nuevo en la ruta y viendo que había unas perillas al alcance de la mano al pasar por los huertos, se me ocurrió tirar de una rama y llevarme de todo, hojas, peras y ramas. Salí volando para que nadie me viera, montado al trote porque los mulos no querían ir a los cuatro pies.

Inocente de mí. Las huellas del delito las fui dejando desparramadas por todo el camino. Cada metro, una huella, cada paso una rama del peral, y así hasta el final del camino y su destino final en el piazo. El reguero era evidente. Bocao y pera al suelo, el ansía terminó por despreciar las peras y el miedo a un atracón y su correspondiente diarrea terminó por delatarme.

Menos mal que no había bebido agua de la fuente, sino seguro cólico.

Hacía rato que me seguía una yunta por el mismo camino. Mi alma de reo me obligaba a girar la vista de vez en cuando y a apresurarme a terminar las peras y el camino lo antes posible. El remordimiento y la preocupación me hacían achuchar a los mulos para que aligeraran el paso.

Contaba con dejar al intruso en el primer desvio del camino, pero lo realidad fue muy equivocada. Yo suponer, no suponía ni me imaginaba, pero me mosqueaba. Me parecía más que raro que diera la coincidencia que tuviera que seguir por el mismo camino.

Yo llegué al piazo y me puse a hablar con el Bayo y la Negra para disimular la situación. Él llegó casi a la vez y más que hablar simplemente me espetó "esta noche te veré en tu casa".

Pues, ¡adiós muy buenas!

Durante una semana un servidor fue aprendiendo y cogiendo experiencia en el uso de las sogas y las samugas. Que no es lo mismo cargar trigo rubión que avena o centeno, podían hacerse cargas de siete haces en el caso del trigo o cebada o de hasta trece en el de la avena.

En ciertas ocasiones y en función del tipo de cereal se llegaba a usar las angarillas sobre todo para acarrear los yeros, el forraje, el pipirigallo y las legumbres de uso casero como las lentejas o los garbanzos. Consistían en un par de serones hechos de redes de cuerdas y que permitía llevar el doble de material debido a su escaso peso.

Por aquello de acabar cuanto antes con este tema y para que no tengas la tentación de saltarte estas páginas, solo decirte que había otra forma de acarrear los haces y que se le llamaba "a sacamula".

¡Toma ya, esto es lenguaje popular!

En el Bajo Aragón se habla un castellano sano y dulce.

Consistía en dos personas con dos mulos, uno en el piazo cargando y otro yendo a la era a descargar. A mitad de camino intercambiaban los animales.

Esta era una práctica muy habitual cuando los piazos quedaban cerca de las eras. En el acarreo a sacamula se solían aprovechar a los chiquillos y a las personas mayores, ya que el recorrido era más bien corto y no tenía tanto peligro de que se cayera la carga. Los abuelos simplemente se dedicaban a esperar a los nietos, ayudar a descargar y recoger las sogas.

Podía seguir contando más aventuras referentes al tema pero antes de que cierres el libro, me paro y sigo. Razón tienes cuando dices que me enrollo más que una persiana. No me gusta volver la vista atrás, pero por un momento me he cogido las páginas anteriores y me he dado cuenta de la cantidad de tonterías que digo y de la cantidad de faltas de ortografía que escribo.

Muchas veces casi me rio de lo que estoy escribiendo, otras veces me dan ganas de mandar a la papelera todos los folios con sus correspondientes faltas de ortografía y acentos incluidos. Vuelvo a cerrar la vista y saco la conclusión que lo mejor es dejarlo como está, ya que he perdido el tiempo pues que no sea en balde. Visto mal visto, me quedaría sin páginas y sin sonrisas.

Que el hecho de que un servidor sea discapacitado en el arte de las letras, no quiere decir que por eso no tenga derecho a poder escribir lo que sabe. Ya lo hicieron otros muchos mientras pastoreaban sus ganados y por eso no han dejado de ser reconocidos, aunque cantaran y levantaran odas a una cebolla o a una musaraña.

Que, a fin de cuentas, no importa lo que uno escribe, sino lo que el lector quiera interpretar. Por mucho y por muy bonito que se quiera decir, solo los tímpanos de los oídos y las pupilas de los ojos serán los que digan al cerebro lo que desean leer.

Que el caer en gracia o ser gracioso es aleatorio. Donde uno puede ver ninfas marinas, otro puede asegurar haber visto tiburones. Y es que la mirada personal puede distorsionar lo que ve, enfocándolas hacia el ángulo que más le interesa.

Ahora me viene a la mente, aquel Camilo Cela del Viaje a la Alcarria, que me caía más que gordo porque me obligaban a estudiarlo por ser un servidor de Guadalajara. Aquella imagen de fanfarrón, déspota y de siestero pedorro, me terminó por convencerme como un señor escritor. Y lo que son las cosas, el muy Señor se ha convertido en el pedorro más famoso del mundo y por añadidura Premio Nobel de las Letras.

¡Olé tus huevos! ¡Vivan tus pedos!

—¿Y por qué cuento yo esto?

—Pues la verdad es que no lo sé.

O se me ha ido la olla a otro lado o he perdido el hilo de la historia y no sé por dónde encontrar el ovillo. Con tanto devaneo se me ha debido escapar de las manos y ahora no hay manera de volver a encontrar el agujero de la aguja.

Si no recuerdo mal estaba…

Durmiendo, seguro.

—¿Será dormido?

—¿Y qué más da?

Según Don Camilo, por la misma razón debería ser, estar jodiendo que estar jodido. Y nunca más lejos una cosa que otra.

—Bueno, pues estaba…

Debía llevar rato y rato dormido encima del trillo. Los animales que tiraban se habían parado en medio de la parva a comer sin que nadie se enterase, y si me descuido la dejan sin grano. Estaban tan quietos que no llegué a enterarme.

El pecado cometido se descubrió cuando salieron mis padres de la sombra del pajar para dar la vuelta a la parva. En aquel momento se desbarataron todos mis pensamientos y hasta la silla fue a tomar viento con su ocupante incluido.

—¡Pero muchacho!

Un servidor intenta recuperar el equilibrio encima del trillo.

—Coge el ramal, que se van a escapar los mulos.

El intento me costó un par de chapuzones entre la resbaladiza mies.

Tras una confesión injustificada me cayó la penitencia que en estos casos se aplicaba y que no era otra que la de seguir trillando hasta nueva hora u horas.

La era donde trillaban mis padres quedaba junto al denominado "barrio de abajo", oficialmente Barrio del Amor y junto a la vereda que baja del Cantón al camino de Tordellego.

En realidad, las eras eran (qué aunque suene mal, no lo pienso cambiar) el lugar destinado a la trilla o desgranado del cereal y otras legumbres o forrajes mediante la acción del trillo. En algunos casos el desgranado se hacía mediante vareos o sacudidas como por ejemplo en el caso de los garbanzos, las guijas, las lentejas o el mismo centeno cuando se dedicaba a sacar la encañadura.

En el caso del pipirigallo, la veza o los yeros se extendían al sol y se les pasaba el trillo muy poco tiempo y lo suficiente para que escupieran sus semillas para poder volver a sembrarlas. La paja se aprovechaba para mezclarla con la llamada paja blanca que salía de la cebada y el trigo y que se usaba para el consumo de los animales de casa.

En caso aparte y comentado en más de una ocasión se daba el trabajo destinado al centeno de la encañadura. Se separaban en la era los haces que tenían más longitud de caña, y tras golpear las espigas para desgranarlas en grandes losas de piedra, se procedía a su cepillado para eliminar impurezas e igualarlo en un haz, llamado balago, quedando el resto de la mies extendido por toda la era.

Hoy en día aún puede verse alguna era en la que predominan grandes losas de piedras o empedrados de bolos que ayudaban a trillar mejor la mies y desgranar con más facilidad el cereal, aunque en ocasiones se picaba demasiado.

Las eras en general eran de forma irregular, aunque predominaban las cuadradas u ovaladas, adecuadas al terreno y prácticamente unas pegadas a otras. En nuestro pueblo estaban a escasa distancia del núcleo urbano y no más de quinientos metros. En cualquier caso, todas tenían sus pajares correspondientes al lado donde se guardaba la paja para el invierno.

Y como no puede haber aguja sin hilo, no puede haber era sin pajar. Encontrar una era sin pajar es casi tan difícil como encontrar una aguja en un pajar.

El pajar es un elemento indispensable para poder guardar no solamente la paja sino parte de los aperos relacionados con las tareas de la trilla. Como norma más habitual y elemental se edificaba pegado a la era y aprovechando las caídas del terreno o excavando junto a ella para conseguir que quedara por debajo del nivel de la era y con ello facilitar la entrada de la paja.

En la mayoría de los casos están anexos a la propiedad, aunque puede darse el caso que, con el reparto de bienes familiares, pase a ser de otro dueño y con ello adulterar la idea inicial para el que estaba destinado. En estos casos solían habilitarse lo más próximo posible. La obra de los pajares es tan rústica como sencilla, como corresponde a una edificación de uso exclusivo para servicios.

Sus paredes se hacen de piedra de campo sin argamasa en un principio para más adelante incorporar la cal y la arena. Sus tejados son de teja árabe a excepción de algunos cobertizos que se copiaban de las paideras de barda con ramajes de todo tipo. Los pilares se confeccionan con madera de pino o carrasca o directamente con piedras manipuladas para asentar las vigas principales del piso superior o el tejado.

Las dimensiones raramente pasan de cinco metros de anchura por una longitud que depende de la inclinación del terreno o de la configuración de la propia era. En algunos casos encontramos pajares con más de cinco metros de altura, lo que permitía hacer un altillo supletorio o cámara para guardar el forraje y toda clase de enseres y aperos de la trilla e incluso los bálagos de haces de encañadura.

En el caso de tener dos pisos, el más alto se hacía coincidir con la altura de la era, cuyo nivel facilitaba la entrada a pie llano y en el suelo se hacía una trampilla por donde echar la paja a la parte inferior. La puerta principal del pajar estaba situada siempre en la parte más baja para facilitar la extracción a diario de la paja para los animales.

Casi siempre se intentaba que la puerta estuviera orientada al sol o al mediodía. No se diferencian mucho de las de las casas del pueblo, suelen ser bastantes grandes y su rusticidad se limita a tablones de madera sin adornos que destacar. La puerta de servicio a nivel de la era se solía tapiar con piedras o trillos hasta que llegara la próxima temporada.

Vendría al caso si yo me extendiera unas páginas más en comentar las cerraduras que he encontrado en las puertas de los pajares, pero el tiempo no me ha permitido recopilar todos los datos suficientes, ya que muchas de ellas están enterradas entre los escombros cuando se declararon en ruinas por el peligro que suponían para la gente en general.

Te aseguro que había verdaderas obras de arte.

Por haber, y que yo recuerde ahora de memoria, un par de llaveras en forma de corazón, una en forma de hoja de parra preciosa, otra con dos hojas de laurel, una más con varias espigas de cereales y hasta algunas con sus candados como en las paideras.

Quiero recordar que en alguna ocasión comenté que las propias casas tenían sus cuadras para guardar todo tipo de animales y de paso poder vigilarlos, pero en algunas de ellas el espacio era tan reducido que apenas quedaba sitio para la yunta de animales de labranza y poco más. De ahí que se tuviera que hacer sitio adicional para el resto del ganado ovino y caprino fuera de la casa pero a poder ser lo más cerca posible para tenerlo a mano y vigilado.

Teniendo en cuenta que las paideras estaban demasiado lejos y sus distancias no invitaban ni a los desplazamientos para cuidarlos sobre todo en invierno y con nieve y mucho menos vigilados. A partir de esta necesidad se crean las casillas cercanas a las casas y como consecuencia algunos pajares se convierten en casillas y con ello se alzan sus tejados y se crean nuevos espacios para el acopio de forraje.

Por necesidad se amplían las puertas y se crean puertas con dos hojas, pero en vertical, lo que permite tener una hoja abierta para airear y permitir la entrada de la luz. Sus cerraduras y candados están siempre en la hoja superior dejando para la inferior el cerrojo y un arbollón.

En algunas ocasiones encontraremos pozos donde recoger el agua de la lluvia o de las filtraciones del terreno para dar de beber a los animales, sobre todo en los días del invierno en donde el ganado tiene que permanecer estabulado a causa de la nieve.

Y dicho todo esto de los pajares, lo mejor sería poder decir, pues los he visto. La evidencia salta a la vista, su estado en general es ruinoso y prácticamente irreversible. La eterna desidia se ha cebado con ellos y están pidiendo a voces un expediente de ruinas. Seguramente y sin lugar a dudas de ninguna clase es la parcela del entorno del pueblo con más abandono.

Buscando, buscando, la aguja no apareció en el pajar, pero un montón de trastos aparecieron entre la paja y el pajuzo.

Seguro que faltan, pero como la aguja ya la damos por perdida, no descartemos el revolver toda intemerata con tal de sacar todo lo que sea posible. Y una vez puestos a recuentos, son los que están, pero no están todos los que son. Algunos hay.

LA BALEA.— Es una escoba hecha de ramas finas de un arbusto llamado **guilloma** y que se sujetan a un mango mediante un cilindro de hojalata o un cordel de tomiza.

LA HORCA.— Instrumento a forma de tridente de mano con varios dedos de madera que salen del mismo tronco y que sirve para mover la mies y la paja

EL HORCÓN.— Horca de grandes dimensiones que se usaba para estivar la paja dentro del pajar y echar la parva a la máquina de aventar. Estaba reforzado en su cucharón por cuerdas para evitar que la paja se cayera al suelo.

LA HORQUILLA.— Horca metálica de cuatro ganchos que se usaba para pinchar los haces de mies e izarlos a los carros o a las **cinas** y que servía para remover el **pajuzo**.

LA COLLERA.— Especie de collarín que se les ponía a las caballerías en el cuello para poder mejorar la tracción de las trilladeras y evitar que se rozaran la piel.

EL RASTRILLO.— Peine metálico de grandes dimensiones que se usaba para recoger la mies en la era mediante un **barrastro** con mango de madera y tirado por una caballería.

LA CRIBA.— Especie de pandereta de un medio metro de diámetro con una base metálica de red perforada y que permitía que pasara el grano, pero no las granzas.

EL CRIBÓN.— Criba de grandes dimensiones que se usaba apoyando su arco sobre una horca y mediante movimientos rotatorios permitía separar el grano de la paja.

EL CERNEDOR.— Criba con malla metálica muy fina que dejaba pasar solo las semillas más pequeñas como las **negillas** y de esa manera se separaba del cereal de trigo o cebada.

LA CUARTILLA.— Medida de madera a forma de recogedor que se usaba para llenar las talegas ya que en el lado opuesto al mango tenía una boca triangular que facilitaba su uso. A su vez se usaba como medida de peso para el intercambio de cereales y corresponde a la cuarta parte de una **fanega**.

EL CELEMIN.— Era una especie de utensilio de madera que equivalía a unos cuatro y medio litros y en el caso del cereal a unos tres y medio de kilos. También era usado como medida de superficie a la hora de sembrar sobre todo en la edad media.

LA TALEGA.— Saco estrecho y largo hecho de lona gruesa que permitía maniobrar con comodidad y donde se echaba el grano para transportarlo a los **atrojes**.

LA PALA.— Plataforma de madera plana con mango que se usaba para dar vuelta a la parva cuando ya estaba medio trillada y servía para avlentar una vez separada la paja.

LAS TRILLADERAS.— Elemento de tiro que se enganchaba desde las colleras hasta el horcate del trillo.

EL HORCATE.— Barra angular de madera con dos anillas donde se apoyan las trilladeras mediante un gancho.

ESCAÑETO.— Asiento de madera con patas cortas y sin respaldo que usa el trillador para ir sentado.

ZURRIAGA.— Maroma de cuero o de esparto enlazada a una vara de madera fina que se usaba para atizar a las caballerías.

BARRASTRO.— Tablón de madera gruesa de unos tres metros de ancho que se usa para recoger la parva cuando está ya trillada y al que se arreata un animal de tiro mediante una trilladera.

ANGARILLA.— Cavidad en forma rectangular hecha con redes de cuerdas o metálica y que se sostiene sobre dos brazos largos que hacen de manoplas y que sirve para transportar la paja o el forraje.

TRILLO.— Es el elemento principal e indispensable para llevar a cabo la trilla. Su forma es rectangular y en su parte delantera termina en curva ascendente para evitar que se atasque la mies. Sus medidas están sobre los dos metros de largo por uno veinte de ancho y en su parte inferior está cubierto de **pernalas** y de unas sierras metálicas que son las que desgranan el cereal de la caña.

Uno de los elementos que más contribuían en la acción del trillado eran las propias caballerías con su constante pateo sobre la mies. En muchas ocasiones se les hacía dar varias vueltas antes de empezar para que chafaran la mies y cuando se echara el trillo no se hicieran **balagos**. En algunas ocasiones había que echar algún molondro de piedra para que el trillo no flotara sobre la parva, sobre todo cuando la mies estaba algo húmeda o las cañas eran demasiado largas.

Como elemento especial y curioso, se usaba una especie de arco metálico en la parte posterior del trillo con una rueda que servía para ir removiendo la parva y con ello que el sol tostara constantemente las espigas y se desgranaran antes.

Y como no podía faltar la acción del hombre, cada media hora más o menos aproximadamente se procedía a dar la vuelta a la mies mediante la horca para que se solease y se trillara adecuadamente.

Y a todo esto, había un mirón a la sombra de los árboles del Cantón haciendo el pairón con su camisa blanca de tergal y que lo único que hacía era hacer daño al paisaje. Supuse que sería uno de aquellos veraneantes que por estas fechas se acercaban al pueblo a pasar las vacaciones.

Por aquellos entonces la duda en el acierto solo tenía dos opciones, o bien era algún casamentero foráneo con hija del pueblo, o hijo del lugar huido a la gran ciudad en años anteriores. En todo caso presumiendo de camisa y de pantalón de corte.

No sé cómo fue, ni me di cuenta alguna, el hecho es que el camino lo llevó de mirón a la vera de la era. Su identidad quedó más que despejada por la manera de mirar, aquel no había visto un trillo en su vida ni de oídas.

Mis rocinantes que no estaban acostumbrados a semejantes figuras y con talles vestimentas, no tardaron ni un instante en espantarse y en ponerse en sobreaviso. Y es que aquel quijotesco personaje, con su atuendo blanco nuclear, más parecía ir de aventuras que de otra cosa. Y si es que iba en busca de Sancho Panza tenía por las eras donde elegir a montones.

Los rocinantes iniciaron un trote precipitado que me obligaron a tomar las riendas con todas mis fuerzas para no verme descabalgado del trillo. El escañeto fue el primero en salir volando por los aires al ver la cuadriga desbocada y sin control.

—¡¡¡Soooooo!!!

Encima el que estaba de pairón se asusta y hace que los animales se arrebaten y aceleren su trote.

—Sooooo, animales.

Los constantes y rápidos molinetes y remolinos del trillo en la parva evidenciaban que aquella corrida iba en serio. Solo faltaba que el trillo se acercara unos centímetros más a la pared de la era para que la fiesta se montara con todo su estrapalicio.

—Hoy van a empezar la fiesta por el final.

—¡¡¡Soooooo!!!

—Que si quieres.

Y es que las mulillas llevaban el trillo en volandas, dando vueltas a la plaza como si se tratara de arrastrar el todo, una vez lidiado entre los aplausos del público.

—Sooooo…

—No hay manera de parar.

Yo permanecía manteniendo la figura de Sancho Panza como podía encima del trillo, haciendo más aspavientos que Don Quijote delante de los gigantescos molinos.

Y dios quiso que las mulillas se calmaran.

El espantapájaros, mejor dicho, el espantarocinantes, desapareció de la vista y llegó la calma al trillo, a la era y los sanchos y quijotes. El pobre veraneante acabó resignándose a tanto despropósito y terminó por ponerse la indumentaria reglamentaria y convertirse en uno más del pueblo.

A escasos metros de nuestra era había otra de similares medidas y a la que separaba un ribazón y un muladar. La susodicha era estaba un poco en cuesta y cada vez que le tenían que dar la vuelta a la parva se iba bajando hasta la contigua, con el consiguiente cabreo por parte de los vecinos.

Un botijo de agua andaba escondido entre los haces a la sombra del pajar y que era la única manera de que se conservara fresca. Por otro lado, estaba colgada la bota de vino, dedicado exclusivamente al jefe o algún invitado de turno, bien calentito, pero como decía el refrán: si está frío, mi estómago es un horno y si está caliente mi estómago es una nevera.   Solucionado el tema.

Por estas horas yo ya había cumplido mi penitencia en el trillo, como cada hijo de vecino y cuando llegó el mediodía me tocó coger mis rocinantes e irme a hacer cola al Cañuelo a darles de beber agua. Eran unos momentos en que acudían todas las yuntas y las moscas y los tábanos se arremolinaban alrededor de los jumentos para chuparles la poca sangre que les quedaba.

A los mulos no les quedaba más remedio que usar los revolcaderos para aliviar el picor de tanto insecto y en el camino junto a la alcantarilla había uno que cuando llegaban los animales se tiraban al suelo sin dudarlo. Unas cuantas compligetas con su correspondiente polvareda, un par de sacudidas y a continuar con el picor.

El turno para dar de beber a las yuntas se guardaba según se iba llegando, pero el turno para beber en el jaraíz se ganaba a base de coces. El mulo que metía el morro no lo quitaba hasta que el agua le saliera por las narices y cuando habían pasado un par de docenas de yuntas se agotaba.

El sol pegaba que no engañaba. Un nubarrón engordaba cada vez más por el saliente. (¿Recuerdas que te conté unas páginas anteriores de lo que era el Cura Corbatón?) Ya había avisado un viejo por la mañana de que habría toros por la tarde.

La hora no se sabía, pero como casi siempre lo hacen a la misma hora y no era cuestión de dudar mucho. La corrida era más que segura y el ajetreo y las prisas empezaron a notarse en el ambiente y eso que aún no eran las cinco de la tarde como decía el poema de García Lorca.

El negro nubarrón dejó en un santiamén las eras a oscuras y sin sol a la vez que una sorprendente polvareda se levantó por el camino de Tordellego arrasando todo lo que cogía a su paso.

Y empezó la corrida.

Eran las cinco en punto de la tarde.

Y sonaron las trompetas de arrebato.

¡Tirori…!

Todo el mundo expectante.

El toro a punto de salir.

El primer trueno fue de espanto.

Expectación y arrebato.

La faena arreciaba con prisas a recoger la parva. Los primeros gritos ya no sabían que hacer.

Cuando llegó el segundo trueno (segundo toro), todo fue palmas y arrebatos. ¡Vamos, vamos, que esto se pone feo!

El tercero salió atronador, dispuesto a coger a todo el que no anduviera más que listo.

¿Y qué si cogió?. A más de la mitad de los que andaban con la parva a medio abarastrar o perdidos con las baleas en la mano.

Y no sigo con la corrida pues aquí en el pueblo nunca ha habido corridas de seis toros, como mucho nunca se ha pasado de dos y para ser más explícitos, vaquillas y en etapa de destete.

Los desmanes de las vaquillas en el pueblo fue tan breve que apenas merecen ampliar más comentarios.

Los más listos, al primer trueno, se liaron a recoger la parva y a entamarla para evitar que se mojara. Los que esperaron al segundo trueno, se quedaron a medio abarastrar y con las escobas en la mano. Otros tantos que se quedaron mirando los toros desde la barrera se quedaron con la parva como una tortilla y la era como una piscina.

Acabó la corrida y de nuevo la gente se tiró de nuevo al ruedo. El sol volvió a salir de nuevo y hasta los caracoles presumieron de sus cuernos como los toros.

Eran las cinco en punto de la tarde, hora torera.

Eran las seis y pico de la tarde cuando iba a empezar la corrida anunciada. Según cuentan los asistentes la cosa no pasó a mayores, no hubo muertos y las mulillas tuvieron que ir a buscarlas al Prandonero.

Debían ser las nueve de la tarde, el sol languidecía poco a poco por el camino de Piqueras en busca de un anochecer más tranquilo a descansar. La tarde había sido movidita y al despertar el nuevo día debía hacerlo con toda su intensidad.

Como suelen decir los viejos y expertos del lugar, a tarde de toros vaticinan día siguiente soleado y calmado. Y tanta razón que llevan, por aquí las gentes conocen las predicciones de memoria y raramente se equivocan en el veredicto. Estos viejos son la leche ¡se las saben todas!

Cuando la noche se echó encima y las primeras estrellas empezaron a iluminar las eras, la actividad aún seguía con el trajín de las talegas para llevar el grano limpio a los atrojes.

Al día siguiente el sol salió como siempre a la misma hora, claro, limpio, caluroso y juguetón. Se presumía que la actividad estaba a punto de explotar con toda su fuerza.

Habían quedado algunas parvas a medio trillar del día anterior y sus madrugadores dueños se afanaban en darles vueltas y más vueltas para que el sol calentara la mies y evaporara la humedad de la tormenta de la tarde anterior. Las yuntas ya estaban a punto y solo faltaba que se diera el pitido de salida.

—¡Vamos! que no se diga que no podemos.

Ya daba vueltas la yunta morreando la mies,

Se balanceaba el trillo con su timonel en pie,

Se quejaban las pernalas en medio de la parva

Las vueltas giraban en rutina borracha.

Girando, rotando sin parar…

El trillador se amodorra,

Se sienta en su escañeto

Y deambula…

Abrasaba el sol quemando la era

Socarrando la parva

Desgranando el trigo y la cebada

El mulo morrea la era

Para aliviar su gana.

Un ligero viento cálido se iba levantando conforme avanzaba el día. Venía de lado bueno, del que todos esperaban, casi del poniente con ligera brisa y sin volandas.

Algunos lo tenían tan estudiado que cuando recogían la parva lo hacían en el lugar justo donde al levantarse el aire la paja entraba casi sola al pajar.

Y no es que fueran tiempos propicios para derrochar, pues hasta la paja tenía su valor en oro. Su utilidad era tanto o más de la podamos imaginar. Más que una utilidad, diríamos que era una necesidad, tanto para mezclarla con el grano en la dieta diaria de los animales como para camadas en el saneamiento de zahúrdas, cuadras y paideras o para vender y hacer alguna que otra colchoneta cuando la lana escaseaba.

En mi recuerdo de chaval quedan aquellas vetas de distintos colores que se dejaban ver en la entrada del pajar al ir a llenar los sacos para echarles a los animales. Sus tonos diferentes definían claramente si se trataba de paja de trigo, avena, centeno o cebada, y según a quien fuera destinada así se cogía o de tal manera se mezclaba.

¡Al tanto, que viene el aire!

¡Vamos!

A la horca.

Como la mayoría de gente no podía disponer del viento a su aire, la paja se les quedaba a medio camino entre la era y el pajar. De esta manera no había más solución que meterla con las angarillas.

Una angarilla podía llegar a tener unos dos metros cúbicos de paja y la llevaban entre dos personas como si fuera el ataúd de un muerto. Teniendo en cuenta que un metro cúbico equivale a mil litros y un litro a un kilo, ¿cómo puede ser que entre dos personas lleven a un muerto tan pesado?

—Creo que he metido la pata por listo.

Eso ya me lo preguntaron cuando fui a hacer el examen para obtener una beca en Molina de Aragón.

—¿Qué pesa más, un kilo de paja o un litro de agua?

Si tenemos en cuenta que un kilo es igual a un litro, pues entonces…

—Ya lo tenemos.

—¿Llevo razón o no?

Creo que confundir, volumen, peso, densidad y capacidad, no es lo más adecuado, pero en ocasiones te puede sacar de un apuro.

Un litro no, pero casi si se lo bebían por cada cinco metros cúbicos de paja que metían al pajar. El tamo resecaba la garganta y las fosas nasales, hasta hacerlas intranspirables y más si tenían que horquearla dentro del pajar para aprovechar el espacio.

El aventado, entendido como tal y con el aire a favor puede ser tan sencillo como elemental para un novato, pero si manual y con el aire a destiempo es un arte difícil de realizar.

Tras un primer despajado, se volvía a aventar esta vez con la pala de madera para intentar eliminar todas las impurezas y dejar las granzas separadas para un último trillado y poder aprovecharlas para comida para el ganado o resto de animales. En algunas ocasiones se usaba un cernedor que servía para separar las **negrillas** y los granos más pequeños, pues estaba hecho de una red muy fina.

Casi siempre se solía aprovechar las horas del anochecer para entalegar el grano y llevarlo a los atrojes, pues dejarlo en la era suponía que alguna mano pudiera salir con un culato a cuestas.

Las granzas estaban formadas por restos de mies que no se habían trillado adecuadamente o de impurezas de otras plantas o gramíneas que se mezclaban al hacer la siega. Por lo habitual eran espigas sin desgranar en su totalidad y ñudos de cañas gruesas que por su tamaño no podían pasar por la criba.

Las granzas se iban dejando a un lado de la era conforme se iban aventando las distintas parvas, para que una vez acabada la tarea de la era proceder a un nuevo trillado.

Las talegas eran el medio más habitual de transporte. Eran largas y estrechas para facilitar la carga en las caballerías y para evitar que se cayeran en el trayecto, ya que no se usaban albardas donde sujetarlas. La mayoría iban decoradas con unas franjas azules o rojas y llevaban impreso las iniciales de su dueño.

Que yo sepa la mayoría de los atrojes estaban en las cámaras de las casas y por consiguiente había que subir escaleras. Se solían aprovechar los rincones bajeros de los tejados y siempre oscuros y de difícil acceso. Al realizar esta operación con la entrada de la noche y escasear la luz natural, se usaban velas, lo que no evitaba que se dieran más de un coscorrón con las vigas del tejado.

Raramente se dejaba el grano fuera de la casa, pues de su custodia dependía no solo el alimento de los animales sino de la harina que se sacaba para hacer el pan y restos de tortas y pastas.

Solo unos pocos privilegiados se evitaban el tener que usar la horca para aventar, aquellos que tenían las máquinas se liberaban de tener que usar el horcón. Si el aventado manual lo podía hacer una sola persona, para poder hacerlo con la máquina tenían que haber como mínimo dos o tres. Uno tenía que suministrar parva a la tolva y otro tenía que darle a la manoja para que funcionara, sin contar que el grano y la paja había que ir retirándolo para que no se enzolbara o embozara.

Bien visto, la cosa no era una solución sino un engorro.

Tras la segadora, aventadora y trilladora apareció la cosechadora y los tractores y con ello la revolución de la agricultura.

Hacer con la horca un montón para luego deshacerlo.
Esperando el viento del poniente.
¡Que viene el aire, que llega el viento!

Soplaba el aire entre el pajar y la **cina**,
Se balanceaba la horca para catar la brisa,
Vuela la paja como nube blanca,
Llueve trigo, cebada y apedrea granza.
Pica el tamo entre corvas y tobillos,
Sombreros y calvas con olor a paja
Siembran al aire aromas y olores.

Apegado relucía el **tamo** como roña añeja,
De pies a cabeza, de cabo a rabo.
Mugrientes las ropas de tanto destajo,
Roñoso su cuello de color serrano.
Amagrecido en suerte de poderlo serlo,
Tostado en afán, quemado en trabajo.
Socarradas sus pieles de tanto abasto,
Callos en las manos de tanto desearlo,
Deseos de acabar el esfuerzo sin quererlo,
Con ansias y deseos del trabajo vivido.
Matar el tiempo en tamo, mugre y paja,
Sudando parvas y aventando.
Alargar la vida de pobre serrano,
Avivar con acopio la supervivencia,
Ser suficiente sin querer serlo.
Tamo en la garganta, roña en los tobillos,
Hambre en los atrojes y en las cámaras,

Hambre de pan, harina y trigo,
Sed de deseo y ganas de todo.
Mucha hambre y más deseo.

Los más listos ya se habían adelantado al final del mes de agosto para ir a pegarse una buena ducha en la Chorrera y aliviar su mugriente cuerpo de las tareas de la trilla. Puede que algunos hubieran preferido seguir oliendo a mies con tal de haber podido hacer unas cuantas parvas más.

Otros preferían quitarse el tamo a la orilla de la Colmenilla, dándose unas sesiones de jabón en las gamellas y en las calderetas de zinc que se usaban para lavar la ropa.

Muchos otros, quizás la mayoría, multiplicaban las palanganas en las puertas de las casas para darse un chapuzón tras otro hasta conseguir que el color del agua les aclarar el momento de pureza corporal permitido para poder salir a la calle y saber que había acabado con las tareas del verano.

Tampoco es que fuera el momento más oportuno, ni la época estival la más adecuada para desperdiciar el agua, pues esta escaseaba más de la cuenta y los pozos de las casas andaban más que apurados, si es que no estaban secos, y el Cañuelo y la Fuente la repartían por riguroso orden y sin excederse en más de un par de cántaros.

Y puestos a economizar a casi nadie se le ocurría tirar el agua usada a la calle, pudiéndola aprovechar para los animales caseros o para hacer la comida a los cochinos.

Por tradición, la Colmenilla era de uso femenino y en particular de las mozas. A ella solían acudir con cierta frecuencia casi todas y en especial las del barrio del Castillo, porque decían que al lavarse el pelo les quedaba más brillante y sedoso, debido a que el agua de aquí le daba mucho el sol y tenía un... "Un noseque especial".

Puestos en el hecho y al caso que nos ocupa, los mozos aprovechaban para esbarriarse en más de una ocasión por cierto lugar por si diera el acierto de llegar a tiempo de ver alguna nalga al aire, cosa más que infrecuente en condiciones normales. En realidad, era más que improbable el que se diera la ocasión, aunque el acierto fuera precedido con sigilo y premeditación.

—¿Has visto que las mozas a lavarse?

—Pues allá que vamos.

Sabiendo que había mozas, que mejor para los mozos que acercarse para echar algún tejo. Teniendo en cuenta que a escasos días se presentaban las fiestas patronales, asegurarse unos bailes o una bailadora era la ambición de cualquier mozo, eso claro está que en su atrevimiento no saliera a tejazo limpio por intruso.

Y a finales de agosto debió ser, no podía ser de otra forma y en otra fecha, antes de las fiestas de la Patrona Santa Cristina para ser más exacto. Y que, por recordar, no con mucha exactitud, si por entonces era un chaval, zagal, mozo o zagalindrón, —¡vete tú a saber! En el pueblo cada cual te llama en función a su apariencia y según le caigas en gracia.

Que íbamos tres o cuatro es seguro, y hasta puede que fuéramos media docena o más, la cuadrilla que siempre nos juntábamos y algún añadido. Los mismos que nos juntábamos para espiar en primavera los nidos de gorriones y de tórtolas por las bocatejas de las casas y pajares y por las paredes de las eras y de los corrales.

Ya iban dos o tres días que veíamos pasar a los mozos con las toallas al cuello camino de la Chorrera y para no ser menos decidimos irnos detrás e imitarlos, aunque fuera sin jabón. La curiosidad de chaval te hace aprender muchas cosas que luego te sirven de mayor.

Ahora quiero recordar que éramos unos chavales, porque al pasar por los huertos alguno espetó algo así como ¿dónde irán esos mocosos? ¡Vaya mierdas de chavales!

Quedamos entonces que éramos chavales.

Lo de mierda sería él. Solo faltaba eso.

La verdad es que lo le hicimos ni puto caso, puede que a la vuelta le repasáremos el huerto por si tenía algo que comer o quitar. Salir a las orillas del pueblo para nada, no se sale y si se sale por na, algo siempre se encuentra por el camino.

Estábamos en la Chorrera.

La Chorrera no es ni más ni menos que un chorro de agua y una balsa. Dicho de manera menos seca y más explícita es el royo que baja de Valdemartín desde la dehesa Somera.

El chorro era tan pequeño que venía justo para darte un chapuzón y quitarte la mugre del verano. La pequeña charca que se forma tiene unos escasos diez metros cuadrados en redondel y se ve alimentada por una diminuta fuente que surge debajo de las lastras a modo de encaño y que suele aguantar casi todo el año.

Llegamos en un pis-pas y no dudamos en meternos a pesar de que el agua estaba muy fría, pero a la vez limpia y cristalina. Uno de los listillos tuvo la idea de tirarse desde arriba de la lastra y nos fastidio el baño. La escasa profundidad y el intenso chapoteo convirtió la diminuta charca en un cenagal.

Por allí anduvimos dando saltos medio en pelotas y como la charca no recuperaba la claridad terminamos como cochinos. Puede que a ello ayudara el tamo y la roña que íbamos dejando de nuestro cuerpo, así que el agua parecía más fango que otra cosa.

Como en un principio la mayoría nos metimos en calzoncillos, no tuvimos más remedio que ponerlos a secar encima de las aliagas y de las **alreras** que había alrededor y esperar a que se secaran. El resultado fue que casi todos volvimos al pueblo con los calzoncillos en la mano.

Y digo calzoncillos por decir algo, porque es de una ridiculez y finura más que exquisita si lo comparamos con la realidad. En verdad, casi todos eran calzones en toda su regla, cada cual estaba hecho a gusto y semejanza del retal que cayera en suerte o encontrarlo al azar y sin entrar en discusiones de si era adecuado o no.

Estoy convencido que más de uno estaba patronado en sábana en desuso o sacado de las posaderas de algún hermano mayor. Lo que era evidente es que a todos les sobraba material y que la hechura del molde del cuerpo no estaba en consonancia con el patrón. Todos ellos andaban sobrados de bragueta y su apelativo de calzones lo justificaban de sobras al ver que llegaban hasta las rodillas, eso siempre y cuando que el botón no estuviera reñido con el ojal de la cinturilla y apareciera por la nalga del pantalón.

Quiero pensar que todos llevábamos los correspondientes calzoncillos y ni reparé en contarlos, ni si alguno no llevaba puesto. Tampoco tiene mucho que extrañar en que así fuera porque más de uno se bajaba los pantalones y no había ocasión de vérselos y hasta si me apuras te diré que hasta en cierta ocasión no hacía falta ni bajárselos pues llevaban incorporados una rendija en la parte trasera que se abría automáticamente en cuanto te acachabas para facilitar la labor.

Por haber, había otros sitios.

Había gente que se iba más lejos a bañarse que no fuera la Chorrera o la Colmenilla. El arroyo de Molinicos, la Veguilla, el chilanco del royo de la Hoz, la Badía o Valdemartín, etc. Algunos hasta con playa.

(Lo de la playa no te lo creas, es mentira).

Yo en el Royo Molino no he tenido el gusto de bañarme a excepción de un pequeño chapuzón por culpa de unas ciruelas que estaban al margen del agua. Del **chilanco** del royo la Hoz me acuerdo perfectamente porque nos podíamos tirar de cabeza. Aquel año tuvimos un maestro que le gustaba el agua más que a los peces y se le ocurrió hacer una pequeña presa aprovechando la estructura del arroyo.

Los chilancos del rio Gallo, vulgarmente llamado la Rambla, quedaba a hora y media de camino desde el pueblo, así que raramente acudía gente a asearse y además el agua estaba sucia y caliente. El ir allí era un privilegio que pocos podían disfrutar, algo así como la playa de la Concha de San Sebastian, la bahía de Rosas o la Manga del mar Menor.

Diríamos que es un suponer…

En aquellos días los mozos y mozas del pueblo presumían de ser y estar como debían de ser, jovenzuelos convertidos en galanes y mozuelas con ganas de enamorar a sus galanes.

Aquellos mismos mozos sabían de sobras que las ocasiones de merecer eran tan escasas como contadas. Luego vendría la fiesta de dos días, unos bailes de unas horas y unas pocas semanas antes de emprender la salida del pueblo a buscar trabajo en la vendimia de la uva, hacer carbón en los montes, a la ciudad o a cualquier otro lugar.

Yo podría contarte de algunas artimañas que se usaban para subsanar los precarios bolsillos de los mozos y chavales, escondiendo entre la paja algún culato de trigo o cebada para cambiar por dinero tocante y sonante.

Por aquellos tiempos y en los días de fiestas los mozos se las tenían que inventar para meter unos durillos en los bolsillos y poder sufragar los gastos extras del bar. que a mí me conste, visto y oído, se más de un mozo que entraba por la puerta de servicio a casa del tío Vicente con su correspondiente culato de cereal a cambio de unos gastos previstos de la fiesta o a cuenta de las juergas venideras.

Y que la mayoría estaban en pecado venial o mortal era evidente, pero allí no se enteraba ni Cristo.

Hubo un tiempo en que recién hecha la recolección del cereal, se lanzaban a visitar las tiendas de Molina, Teruel o incluso Alustante con tal de estrenar para las fiestas unos zapatos, unos pantalones, una camisa de tergal o hasta alguna chaqueta de último modelo.

Por aquellas fechas un servidor recuerda que me compraron un pantalón azul marino y un jersey de color verde oliva. Yo iba como un pincel cuando llegué a la iglesia para la celebración de la misa.

Y como estamos de fiesta y con mi ropa nueva, os abandono porque hay una chavala a la que le quiero tirar los tejos.

—Así que ¡¡¡adiós!!!

Si has aguantado este rollo hasta llegar aquí,
Puede te merecieras volver a repetir,
Que otra entrega está en marcha
Y a no mucho esperar.

Usque tándem abutere patientia nostra…

FINIS